un capitán de quince años

COLECCION
JUNIOR

JULIO VERNE

un capitán de quince años

 México, D. F., 1976

IMPRESO EN MEXICO
PRINTED IN MEXICO

PRIMERA PARTE

UN BERGANTIN GOLETA LLAMADO *PILGRIM*

Corría el 2 de febrero del año 1873, cuando el bergantín *Pilgrim* se hallaba navegando entre los 43° y 57' de latitud sur y los 165° y 19' de longitud oeste del meridiano de Greenwich.

Se trataba de una embarcación de cuatrocientas toneladas que había sido construida en los astilleros de San Francisco de California expresamente para la pesca mayor en los mares australes. Su propietario era un acaudalado armador californiano llamado J. W. Weldon quien había confiado el mando del navío al capitán Hull.

El *Pilgrim* era uno de los navíos más pequeños de la flota de James W. Weldon, pero, a pesar de ello, también uno de los mejores con los que contaba el armador y al que destinaba todas las estaciones, unas veces hasta más allá del estrecho de Bering, por los mares boreales y en otras ocasiones a los parajes de Tasmania o del cabo de Hornos, hasta el océano Antártico. El bergantín *Pilgrim* navegaba magníficamente. Era de bien manejable aparejo, lo cual le permitía, valiéndose de pocos hombres, aventurarse por entre los peligrosos e impenetrables bloques de hielo del hemisferio austral. Sabía el capitán componérselas perfectamente en medio de aquellos hielos que, durante el verano, derivaban, en su movimiento, hacia Nueva Zelanda o en dirección al cabo de Buena Esperanza, alcanzando una altitud más baja que la que consiguen en los mares septentrionales del globo terráqueo. Ciertamente allí no se trataba nada más que de unos *icebergs* de poco volumen por desgastados en los choques con otros y absorbidos por las aguas termales que al ser de más elevada temperatura los iba licuando lentamente. En su mayoría terminaban totalmente fundidos en aguas del Pacífico o del Atlántico.

Experto marino y a la vez consumado arponero, el capitán Hull se complementaba con un equipo de cinco marinos y un grumete, tripulación escasísima tratándose de la pesca de la ballena, cuya captura y proceso de despedazamiento y fundido de sus grasas, requiere un numeroso concurso de brazos. Sin embargo, a semejanza de otros armadores J. W. Weldon calculaba que le resultaba mucho más económico no embarcar en San Francisco de California más que la gente indispensable, mientras que en Nueva Zelanda procedía a la contrata de arponeros, así como de marinos de todas las nacionalidades, desertores de otros navíos por distintas razones y otros que se contrataban exclusivamente para las tareas del período de pesca y que llevaban a cabo hábilmente todas las pertinentes en su oficio de pescadores. Una vez cumplidas sus funciones, terminada la estación, se les abonaba sus haberes y desembarcaban definitivamente esperando los balleneros del año siguiente para ser de nuevo contratados para ofrecer de nuevo sus servicios. Con tal sistema se daba mejor dedicación a cada marinero y se conseguía un mejor provecho y rendimiento. Tales eran las normas a bordo del *Pilgrim*, bajo el mando del capitán Hull.

El bergantín goleta había dado por terminada la estación pesquera hallándose en el límite del círculo antártico. No iba cargado de barbas de ballena en bruto, ni de barriles de aceite de este cetáceo, ni tampoco de carne troceada de ballena, como se podría suponer. En aquella época, la pesca ya se hacía difícil por haber sido demasiado explotada desordenadamente. Las ballenas escaseaban por haber sido perseguidas con demasiado tesón. La ballena propiamente tal, llamada *Nord-caper* en el océano boreal y llamada *Supherboltone* en los mares del sur, iba escaseando con tendencia cada vez más cierta de desaparecer. Por ello, los barcos balleneros habían tenido que recurrir a la captura del *finback* o jubarte, un gigantesco mamífero marino cuyos encolerizados ataques, al saberse elegido como víctima, solían ser muy peligrosos para sus agresores.

El capitán Hull, durante aquella campaña, se había dedicado a la caza del *finback* o jubarte, pero al siguiente viaje, estaba resuelto a elevarse hasta más alta latitud geográfica y llegar, de ser necesario, hasta tierras de Claria y Adelia, cuyo descubrimiento reconocido por el marino Wilkes, es atribuible al ilustre comandante del *Astrolabio* y de la *Celosa,* el francés Dumont d'Urville.

La estación no había sido risueña ni productiva para el *Pilgrim.* Hacia la mitad del verano austral, el capitán se había visto precisado a abandonar los lugares habituales de pesca. No le quedó más remedio cuando su equipo de refuerzo, compuesto por un puñado de infortunados componentes, le *planteó la cuestión* y el capitán comenzó a pensar en la forma de deshacerse de aquel equipo.

En tales circunstancias, el *Pilgrim* puso proa hacia el noroeste, en dirección hacia Nueva Zelanda, a cuya vista aparecieron el 15 de enero. En Waitemata, puerto de Auckland, ubicado en el interior del golfo de Khuraki, desembarcó —deshaciéndose por fin de todos ellos— al equipo de pescadores que había sido contratado para la estación pesquera. La tripulación se mostraba decepcionada. En aquella ocasión se habían logrado doscientos barriles de aceite menos que en las anteriores expediciones. Ninguna de las veces anteriores se había obtenido una pesca tan mediocre.

Por tales razones, el capitán Hull regresaba con el ánimo justamente contrariado, peculiar en el cazador que vuelve de su expedición cinegética casi de vacío. Se hallaba su amor propio herido a causa también del equipo que le había obligado a ser de nuevo desembarcado, comprometiendo, con tan anormal comportamiento, el éxito de la empresa acometida.

Inútilmente trató el capitán de reclutar un nuevo equipo. Todos los pescadores se habían hecho anteriormente a la mar en distintos barcos balleneros que los habían contratado. Toda posibilidad de recabar la carga del barco se había esfumado para el capitán del *Pilgrim* que, por vez primera en tantos años de navegación, se sentía defraudado. Se disponía a abandonar definitivamente el puerto de Auckland, cuando le fue hecha una petición de pasaje a la que en modo alguno podía negarse.

Se trataba, nada menos, que de la señora Weldon, esposa del mismo armador del *Pilgrim,* a la cual acompañaban su hijo de cinco años de edad y su primo Benedicto. Se encontraban en Auckland, debido a que el armador, el señor James W. Weldon, se había visto precisado a trasladarse urgentemente a Nueva Zelanda y había trasladado a Auckland a los tres, con el único propósito de que regresaran a San Francisco de California. El armador había tenido que abandonar Auckland reclamado por asuntos apremiantes, cuando el pequeño Jack, precisamente, apenas él hubo partido, cayó repentinamente enfermo, sin más compañía que su madre y el primo Benedicto.

Habían transcurrido desde la partida del señor Weldon, doce semanas de dolorosa separación para la señora Weldon. Durante este tiempo, su hijo se restableció definitivamente y ella tomó las necesarias medidas para abandonar Auckland tan pronto tuvo noticias de la llegada del bergantín goleta *Pilgrim*.

En aquellos tiempos el regreso a San Francisco de California significaba trasladarse desde Auckland a Australia para poder embarcarse en uno de los vapores de la Compañía transoceánica del *Golden Age,* que realizaba el recorrido de Melbourne al itsmo de Panamá, por Papeiti. Después, una vez en Panamá, tendría que aguardar la salida del *Steamer* americano que establecía una comunicación regular entre el itsmo y California. Todo este viaje tan ajetreado llevaría consigo transbordos y retrasos inevitables en aquellos tiempos y además las incomodidas que tan largo viaje llevaba consigo, mucho más fatigoso tratándose de una mujer y un niño. Considerando tales inoportunidades, la señora Weldon decidió hablar con el capitán del *Pilgrim* tan pronto el navío tocó Auckland. Solicitó del capitán que, dadas las circunstancias, trasladase a ella, a su hijo, al primo Benedicto y a Nan, una vieja criada negra que estaba a su servicio desde su infancia.

Se trataba de recorrer tres mil leguas marinas en un barco velero. Pero el *Pilgrim* del capitán Hull era un barco muy aseado y la estación era muy apacible todavía a ambos lados del Ecuador. Aceptó el capitán y, además, puso su propia habitación a disposición de la señora Weldon. Su deseo no era otro que durante los cuarenta o cincuenta días que podía durar el viaje, la señora estuviera instalada lo mejor posible en el bergantín goleta ballenero.

Como se · habrá advertido, suponía para la esposa del armador algunas apreciables ventajas el viaje en el ligero ballenero llevando a cabo la travesía en tales condiciones. Quizá el único contratiempo o demora constituía el hecho de que el *Pilgrim,* inevitablemente debía detenerse y descargar en Valparaíso (Chile). Pero después de esta escala sólo cabía remontarse por la costa americana, acompañados por los agradables vientos de tierra que tan agradables hacen aquellas latitudes. Por añadidura, la señora Weldon era una mujer de buen temple que no se arredraba ante las dificultades imprevistas. Era una mujer saludable, robusta, de unos trienta años de edad, que había participado acompañando algunos de los largos viajes realizados por su esposo el armador, compartiendo las dificultades propias de las largas travesías. Para la señora Weldon, pues, no constituía temor alguno los riesgos que tan largo viaje suponía, navegando a bordo de un barco ballenero de tonelaje medio. No ignoraba que el capitán Hull era un excelente marino, en quien el armador tenía total y plena confianza. Además, el *Pilgrim* era un navío sólido, rápido y muy bien considerado en la flotilla de balleneros americanos. La señora Weldon no desperdició la oportunidad que la llegada del *Pilgrim* al puerto de Auckland suponía y la aprovechó inmediatamente.

El·primo Benedicto, que debía acompañarla en el largo viaje, era un buen hombre de unos cincuenta años de edad pero que a pesar de todo no era prudente dejar salir a solas por diversos y sorprendentes motivos, como se verá.

Era un hombre de elevada estatura, excesivamente delgado,

cuya cabeza era de cráneo descomunal y la cara huesuda. El cabello muy abundante y desordenado. Cabalgaban sobre su nariz unos lentes de montura de oro y pertenecía a esa especie de seres inofensivos, bondadosos, nacidos, al parecer, para dedicar toda su existencia al estudio y a la contemplación, transcurriendo por la vida como seres de continuo admirados por cuanto les rodea y que, a pesar del curso de los años que les envejece igual que a los mortales, siguen siendo niños en espíritu. El primo Benedicto siempre parecía entorpecido por sus largas extremidades y se creyera al verle con tanta torpeza servirse de brazos y piernas que no sabía qué hacer con ellos. A todo se acomodaba sin quejas ni lamentaciones; olvidándose inclusive de sus primordiales necesidades alimentarias y de no recordárselo no probaría bocado hasta caerse de desmayo. Parecía insensible al frío lo mismo que al calor y, hasta cierto punto, se dudaba si en el fondo no pertenecería más al mundo vegetal que al animal. Era un hombre dotado de un buen corazón. Sin embargo, no síguese de ello que se tratara de un ser negligente, abúlico o perezoso. Por el contrario era muy laborioso, en su dedicación a la Historia natural que le absorbía por completo. Como es sabido, las distintas partes de que se divide la historia natural son la zoología, la botánica, la mineralogía y la geología. Sin embargo, el primo Benedicto no era lo que se puede denominar un mineralogista ni un geólogo ni un botánico. Entonces, ¿era, acaso, un zoólogo? ¿Una especie de Cuvier del Nuevo Mundo que descomponía al animal por mediación de diversos análisis y lo reconstituía con inteligentes síntesis? ¿Se trataba de uno de esos profundos conocedores especializados en el estudio de los cuatro tipos a los que la ciencia moderna agrupa a la animalidad: vertebrados, moluscos, articulados y radiados? En estas cuatro divisiones, ¿había investigado en las distintas clases, órdenes, familias, tribus, géneros y especies y distintas variedades que las distinguen a unas de otras?

Pues, no.

Entonces, posiblemente se había dedicado al estudio de los vertebrados, de los mamíferos, de los pájaros, de los reptiles y de los peces.

Pues, tampoco. ¿Acaso eran los moluscos los que no guardaban secreto alguno para él? No. Tampoco, se trataba de esto. ¿Serían los radiados, los equinodermos, etc., los animales en cuyo honor había el primo Benedicto quemado el aceite de sus lámparas de trabajo? Pues tampoco eran los radiados, preciso es reconocerlo. Mas como sea que ya no queda más que citar de la zoología sino la división de los articulados, no cabe la menor duda para suponer que era a esta división a la que habíase dedicado con gran pasión el primo Benedicto. Pero, sin embargo, científicamente hablando, el primo Benedicto no habría sabido distinguir entre una lombriz de una sanguijuela medicinal, un percebe de otro cualquier marisco, una araña inofensiva de un falso escorpión, un langostino de una quisquilla, o un iulo de una escolopendra...

En resumen, ¿qué es lo que era el primo Benedicto?

Se había concretado al estudio de los articulados de esta clase de articulados, no era más que un simple entomólogo.

Pero ¡cuidado! porque en esta clase de insectos no se cuentan menos de diez órdenes: los ortópteros, los neurópteros, los himenópteros, los lepidópteros, los hemípteros, los coleópteros, los dípteros, los ripípteros, los parásitos y los tisanuros. Y como sea que en algunos de estos órdenes, en el de los coleópteros, pongamos por caso, se han reconocido nada menos que treinta mil especies y sesenta mil en el de los dípteros, no se carecía de material de estudio, comprendiéndose fácilmente que era mucho trabajo para un hombre solo. No es difícil admitir y comprender fácilmente que la vida del primo Benedicto ya estaba más que ocupada dedicándose al estudio de la entomología. Dedicaba a esta ciencia todas sus horas, hasta las del sueño, ya que en su pasión llegaba hasta a soñar con los "exápodos". El primo Benedicto era un gran consumidor de alfileres pues los llevava en todas las prendas de vestir menos en la ropa interior. Llevaba gran cantidad de alfileres en las solapas de la chaqueta, en las mangas, y en las vueltas del chaleco. Cuando regresaba de uno de sus paseos la cofia del primo Benedicto aparecía cubierta de innumerables insectos, todos ensartados.

Con cuanto llevamos dicho respecto a este singular sujeto

queda más que clara y dibujada su personalidad extravagante, pero se comprenderá todavía tanto mejor cuanto sigamos como apostilla que había sido empujado por su pasión entomológica que había acompañado a los esposos Weldon hasta Nueva Zelanda, donde había conseguido enriquecer extraordinariamente su colección con nuevos y rarísimos ejemplares. Con tan preciado tesoro científico se comprende fácilmente cuánta sería su prisa para regresar bien pronto a San Francisco de California para clasificar debidamente en su casillero del gabinete de estudio a los numerosos ejemplares que habían aumentado su notable colección. En consecuencia, puesto que la señora Weldon y su hijo regresaban a San Francisco en el *Pilgrim*, nada más natural que él les acompañara en la travesía.

Ciertamente no era con él con quien podía contar la señora Weldon en caso de encontrarse en una situación apurada o difícil. Por fortuna aquel que iban a emprender era sólo un largo viaje fácil, casi de placer en la apacible estación, a bordo de un barco ligero y marino cuyo capitán merecía toda la confianza de la señora del armador.

Durante la permanencia del *Pilgrim* en Waitemala, donde el barco estuvo tres días detenido, la señora Weldon llevó a cabo todos los preparativos necesarios para el viaje. Despidió a toda su servidumbre y el 22 de enero se embarcó en el *Pilgrim*, sin más compañía que su hijo, el primo Benedicto y Nan, la anciana sirvienta de color.

Llevaba, el primo Benedicto, una gran caja especial con toda su colección de insectos, en la que figuraban, algunos de los nuevos gorgojos, especies de coleópteros carnívoros, cuyos ojos se hallan situados encima de la cabeza, insectos, por otra parte que, hasta entonces, parecían ser totalmente exclusivos de la Caledonia.

A pesar de haberle sido especialmente recomendada una araña venenosa, llamada "katipo" entre los maoris, cuya picadura es generalmente mortal para los indígenas, pero como que una araña no pertenece al orden de los insectos, sino al de los arácnidos, carecía totalmente de estima a la valoración de los ojos del primo Benedicto.

Había asegurado su preciosa carga con una elevada cantidad pues a su juicio la colección que había embarcado poseía mucho más valor que todo el aceite de ballenas acumulado en la cala del *Pilgrim*. Y no le faltaba gran parte de razón porque aceite de ballena podía el *Pilgrim* obtener en nuevas expediciones fácilmente, pero no tan fácilmente se conseguía el hallazgo de piezas tan raras como las de la colección que había reunido el primo Benedicto.

Una vez la señora Weldon y sus acompañantes se encontraron en la cubierta del bergantín goleta, el capitán Hull se les acercó saludándoles cortésmente, pero sin dejar de observarles:

—No olvide, señora Weldon —le indicó—, que su viaje a bordo del *Pilgrim* es bajo su total y exclusiva responsabilidad.

La señora del armador preguntó:

—¿A qué se debe su observación, capitán Hull?

—Se lo digo porque no he recibido orden expresa de su marido, señora, y el hecho de viajar en un bergantín goleta no ofrece las mismas ventajas ni comodidades, ni garantías, por lo que a la travesía respecta, que un viaje en paquebot destinado especialmente a pasajeros.

—Dígame, capitán —respondió con firmeza la señora Weldon—, de encontrarse mi esposo aquí, ¿supone usted que vacilaría en efectuar la travesía, en compañía de su mujer y de su hijo?

—Desde luego que no, señora. Conozco al señor Weldon y sé que no tendría la menor vacilación, lo mismo que yo. Sea como sea y a pesar de que el *Pilgrim* en este viaje haya realizado una mala pesca por causas ajenas a mi deseo, estoy seguro de lo que he dicho respecto al señor Weldon, como puede estarlo un marino del barco que capitanea desde hace muchos años. Mi observación, señora Weldon, es sólo para poner a cubierto mi responsabilidad y comunicarle, una vez más, que no hallará a bordo las comodidades a que usted está acostumbrada y merece.

—Siendo así, que sólo se trata de una cuestión de comodidad, sepa que no es ningún inconveniente para mí, ya que no soy, precisamente una de estas pasajeras impertinentes que de continuo se lamentan de lo reducido de los camarotes o de la insuficiencia de la comida que se sirve a veces a bordo.

Mirando a su pequeño Jack al que tenía cogido de una de las manos, decidió:

—Cuando quiera, señor Hull, podemos partir.

En seguida fueron dadas las órdenes necesarias. Se desplegaron las velas, y el bergantín goleta *Pilgrim,* maniobrando de forma que pudiera salir del golfo con ligereza y prontitud, orientó la proa hacia la costa americana.

Tres días después de su partida, el bergantín goleta, empujado por poderosas brisas del este, tuvo que amurar a babor para resguardarse del viento.

El día 2 de febrero, se encontraba el capitán Hull en una latitud más alta de lo que hubiera deseado, y también en la situación de un marino que prefiriese doblar el cabo de Hornos a buscar el camino más corto del nuevo continente.

Capítulo II

DICK SAND, EL GRUMETE

La mar estaba tranquila y la navegación se llevaba a cabo en condiciones tolerables a no ser los inevitables retrasos. La señora Weldon tuvo que contentarse con el camarote del capitán Hull, que se hallaba situado en la popa y que era un modesto alojamiento de marino. Sin embargo, todavía el capitán había tenido que insistir y casi imponer su autoridad para que la dama aceptara la habitación que era la mejor de que se disponía a bordo del bergantín goleta. En el reducido aposento, por fin, se había instalado la señora Weldon en compañía de su hijo Jack y de la anciana servidora negra llamada Nan. Había sido preciso disponer una especie de habitación para el primo Benedicto, pero la señora Weldon en el alojamiento que había sido del capitán se sentía a gusto, lamentando que por su causa el marino se hubiese visto precisado a desprenderse de su camarote.

Pero el comandante del *Pilgrim* no había vacilado con tal de atenderla lo mejor posible en meterse en un camarote del puesto de la tripulación y que habría sido ocupado por el segundo de a bordo, de haber habido en el *Pilgrim* un segundo de a bordo. Pero, como ya se dijo anteriormente, el *Pilgrim*, viajaba en condiciones que habían permitido economizar los servicios de un segundo oficial en el bergantín goleta.

La tripulación del *Pilgrim*, compuesta por marinos de buen temple y unidos por iguales intereses y la misma comunidad de ideas y costumbres formaban un equipo muy unido con el que poder contar, en toda ocasión y circunstancias. Era aquélla, la cuarta estación de pesca que aquellos hombres realizaban juntos y por tanto, no eran extraños los unos a los otros, sino que, por el contrario, se había establecido entre ellos sanos lazos de solidaridad y compañerismo. Se conocían, por tanto, desde mucho tiempo y procedían todos ellos del mismo litoral del Estado de California.

Era buena gente y se mostraba en toda ocasión atenta y obsequiosa con la señora Weldon a la que respetaban a la vez por su delicadeza y firmeza al mismo tiempo de carácter. Además sabían que era la esposa del armador y por ello, todavía más, le profesaban gran cariño y estima. Ello también era debido a que habiendo servido largo tiempo a las órdenes del armador y habiendo sacado saneados beneficios, no daban tampoco tregua a su trabajo que veían siempre bien correspondido, ya que dicha labor aumentaba a la vez el importe de sus salarios que percibían al finalizar cada expedición. Y no importaba para ello que, en aquella ocasión debido a la escasa pesca realizada, los beneficios serían bien exiguos, por causa de aquellos pícaros de Nueva Zelanda que habían echado la estación al traste con su indigno comportamiento y a los cuales al recordarles maldecían justificadamente.

Entre todos ellos, sólo un hombre no era de origen americano, sino portugués de nacimiento aunque hablaba inglés correctamente. Se llamaba Negoro y desempeñaba las modestas funciones de cocinero en el bergantín goleta.

Había entrado Negoro a formar parte de la tripulación del *Pilgrim*, cuando habiendo desertado el otro anterior en Auckland se había ofrecido para sustituirle. Negoro era un hombre de aspecto taciturno, poco hablador y que evitaba la camaradería con los demás, pero que por otra parte cumplía perfectamente su cometido como cocinero. Y era lo que importaba puesto que para tal trabajo se le había contratado. La impresión era de que el capitán Hull, al admitirle a bordo, había obrado con buena mano y afortunado acierto, ya que, desde su embarque, el cocinero no se había hecho responsable de ningún reproche.

Con todo, el capitán lamentaba no haberle sido posible, informarse debidamente de quién era el cocinero y cuál era el pasado del portugués. El capitán cuando se trataba de elegir nuevo personal para entremeterlo con los que ya de tiempo servían al armador Weldon en el bergantín goleta, hilaba muy fino, pero en aquella ocasión tuvo que admitir a Negoro porque no había personal entre el que elegir, y por tanto no le había sido posible obtener todos los antecedentes que le eran necesarios. Sin embargo, Negoro cumplía perfectamente su cometido y esto, por el momento, bastaba puesto que no daba motivo de queja alguna en su comportamiento.

Era Negoro un hombre que rondaría los cuarenta años. De mediana estatura, nervioso, muy negro el pelo y morena la piel, y de robusta apariencia. Se le adivinaba en él que había recibido alguna instrucción, tal como se desprendía de algunas observaciones aisladas que se le escapaban en algunas que otras ocasiones. Jamás hablaba de su pasado ni nombraba, como suele ocurrir entre los marinos cuando llevan largos meses de ausencia de los suyos, a su familia. De dónde procedía y dónde había vivido, no podía adivinarse debido a su extremada y al parecer natural reserva de carácter. ¿Cuáles eran sus proyectos respecto a su futuro? Nada manifestaba al respecto, en ocasión alguna. Sólo se sabía su propósito de desembarcar en Valparaíso. Era un tipo muy especial y no parecía que fuese marino de profesión aunque desempeñara las tareas de cocinero. Se adivinaba que no era un hombre que hubiese pasado mucho tiempo en el mar. Sin embargo, en ninguna ocasión parecía ocasionarle molestias el vaivén del mar, como suele ocurrir a las personas que jamás han navegado lo cual ya era mucho para un cocinero de a bordo, y decía bastante en su favor.

Durante el día pasaba el tiempo en el interior de la pequeña cocina, delante del fogón, que ocupaba la mayor parte del lugar. Cuando llegaba la noche y había apagado el fogón, Negoro se iba a su camarote y, después de acostarse, se dormía.

Tal como hemos indicado anteriormente, la tripulación del *Pilgrim* estaba compuesta por cinco marineros y un grumete.

Contaba el grumete quince años de edad y era hijo de padres desconocidos. El pobre chiquillo, abandonado después de su nacimiento, había sido recogido por la caridad pública y educado por ella.

El muchacho se llamaba Dick Sand y seguramente era originario del Estado de Nueva York y probablemente de la misma capital de este Estado. El nombre de Dick, que corresponde a la abreviatura de Ricardo, le había sido dado al infortunado chiquillo porque tal era el nombre de la persona que le había acogido las primeras horas que lo había tenido consigo después de haber encontrado, abandonado, al recién nacido. El apellido de Sand se le había dado por haber sido tal el nombre del lugar donde se le había encontrado, que era el cabo de Sandy-Hook, que forma la entrada del puerto de Nueva York, en la misma desembocadura del Hudson.

Tenía Dick Sand quince años y cuando hubiera alcanzado su total desarrollo, probablemente no alcanzaría más de la mediana estatura, pero indudablemente sería muy resistente porque se le adivinaba una fuerte constitución. No cabía la menor duda de que era anglosajón. Pero era moreno, de ojos azules en cuyos cristalinos refulgía un extraordinario fuego. Su dedicación al oficio marinero le había ya dado una poderosa preparación para resistir y vencer los ambates que le aguardaban en la vida. Tenía el rostro inteligente y rebosaba en toda su joven personalidad una energía admirable. La energía propia no del "audaz" sino del "osado". Con mucha frecuencia son citadas las siguientes tres palabras de Virgilio:

Audaces fortuna juvat;

pero son citadas incorrectamente, porque el poeta dijo:

Audentes fortuna juvat...

Pues conviene distinguir que es a los osados y no a los audaces a quienes sonríe la fortuna. El audaz puede ser irreflexivo. El osado es aquel que, primero, piensa y después, si así conviene, obra. En esto estriba la importante diferencia frecuentemente confundida.

Así que respecto a Dick Sand conviene señalar que pertenecía a los *audens* y no a los *audaces*. A los quince años había aprendido a tomar una determinación y llevar hasta el final lo que hubiera decidido su arrojado espíritu. Por su aspecto, al mismo tiempo inquieto y serio, llamaba poderosamente la atención. No desperdiciaba sus energías en gestos o palabras como suelen de ordinario los muchachos a su edad. Se había percatado muy pronto de su miserable situación en la vida y había comprendido que debía "hacerse" a sí mismo para conseguir llegar a donde se propusiera. Y se había "hecho", puesto que era ya casi un hombre, en la misma edad en que muchos otros son sólo unos niños sin experiencia. Era seguro y hábil a un mismo tiempo para todos los ejercicios físicos. El grumete Dick Sand era uno de esos seres privilegiados, de los cuales puede decirse que han nacido con dos pies izquierdos y dos manos derechas porque siempre todo lo que hacen es a derechas y perfectamente y andan siempre con pie seguro y sin fallos. Su educación había sido recibida en la caridad pública y benéfica. Fue acogido primeramente en una institución para niños de las que en América se dispone para recoger a tan infortunados pequeños y después, cuando había cumplido los cuatro años, aprendió Dick a leer, escribir y contar en una de esas escuelas con las que cuenta el Estado de Nueva York y las que con tanta generosidad sostienen los subscriptores de caritativa generosidad.

A la edad de ocho años, la gran afición al mar empujó a Dick a embarcar como grumete en un barco correo de los mares del Sur. Aprendió el oficio marino tal como debe aprenderse, que consiste comenzando desde temprana edad. Bajo la experta dirección de los oficiales fue aprendiendo, ya que por su carácter despertaba en todos el interés por aquel chiquillo en que se advertían todas las cualidades de un hombrecito. El niño que desde los comienzos comprende que el trabajo es la única y verdadera ley de la existencia para poder hacer feliz, en lo posible, al hombre, sabe por anticipado que sólo ganará el pan con el sudor de su frente, un precepto bíblico que es regla de conducta para toda la Humanidad. Quienquiera que así lo comprenda está predestinado a realizar grandes cosas, toda vez que llegado será el día en que se sienta capaz y con fuerzas bastantes para llevarlas a cabo con éxito.

Ejercía de grumete en un barco mercante cuando Dick Sand, conoció al capitán Hull. El experto marino pronto trabó amistad con el muchacho y más tarde se lo presentó al armador James W. Weldon quien se interesó vivamente por el huerfanito, cuyo instrucción completó en San Francisco de California, iniciándole en el conocimiento de la religión católica, a la cual pertenecía con toda su familia.

En el transcurso de sus estudios, Dick Sand se apasionó mucho por la geografía y los viajes, y deseaba cumplir la edad necesaria para proseguir sus estudios con el complemento del conocimiento y dominio de las matemáticas que se precisan para la navegación. A la parte teórica de su instrucción no dejó de añadir la práctica diaria adquirida anteriormente, hasta que al fin pudo embarcar como grumete en el *Pilgrim*. Un buen marino precisa conocer la pesca tan perfectamente como la navegación y tales conocimientos constituyen siempre una preparación indispensable para cuantas eventualidades lleva consigo la vida marinera. Pero Dick Sand en aquel entonces disfrutaba de las múltiples ventajas de navegar como grumete en un barco capitaneado por su mentor y perteneciente a la compañía del armador James W. Weldon que le había protegido generosamente.

Es del todo innecesario saber hasta qué punto hubiese sido capaz de sacrificarse Dick Sand por la familia Weldon a la que se le debía todo. Grande fue la alegría del joven grumete cuando se enteró de que la señora Weldon, con su hijo Jack iba a viajar a bordo del *Pilgrim*. Dick Sand veía en el pequeño Jack a un hermanito, sin dejar de tener presente las diferencias entre ambos que suponían sus relaciones con el hijo del rico armador. Pero, a la vez, sus protectores sabían perfectamente que su generosa siembra había caído en tierra apropiada. El corazón del huérfano estaba henchido de reconocimiento hacia la familia Weldon y sin duda alguna, no vacilaría, dado el caso, en dar su vida por aquellos que le habían facilitado instrucción, dando oportunidad para que su inteligencia se desarrollara y brindándole el amor a Dios. En resumen de todo lo anterior referido sobre Dick Sand queremos indicar que Dick Sand ciertamente no tenía más que quince años, pero obraba y pensaba lo mismo que si hubiese cumplido los treinta.

La señora Weldon sabía por su parte lo mucho que valía su protegido el grumete Dick Sand y que podía confiarle a su pequeño Jack con total tranquilidad y sin preocupación alguna. Dick acariciaba al niño con afecto, el cual sabiéndose querido correspondía considerando al grumete como a un hermano mayor. Durante las largas horas de ocio propias de la vida de embarque en las grandes travesías, después de las obligaciones del trabajo, los dos siempre estaban juntos. Enseñaba el joven grumete cuantas cosas curiosas había en su oficio marinero con las que entretenía al pequeño Jack. La señora Weldon no padecía intranquilidad ninguna cuando veía a Jack tirar de los obenques en compañía de Dick, o subirse a ambos a la cofa del mástil del trinquete o a las barras de los masteleros de juanete, para luego volver a bajar como una flecha a lo largo de los obenques. Los ojos y las manos de Dick Sand estaban siempre prestos para protegerle en cualquier fallo imprevisto, cogiéndole de los bracitos cuando sus fuerzas vacilaban. Tales ejercicios favorecían en grado eminente al pequeño Jack que había padecido poco tiempo antes de embarcarse con su madre la enfermedad que dijimos y de la que se había repuesto totalmente, pues mientras el pequeño permanecía en el *Pilgrim* en la iniciada travesía, los ejercicios diarios a que sus juegos con Dick Sand le sometían eran equivalentes a una gimnasia diaria reconfortante que le vigorizaba más y más, secundada por la brisa marina saludable.

En tales condiciones iba transcurriendo el tiempo mientras se realizaba la travesía y, a no ser porque el clima era poco favorable, ni los pasajeros ni la misma tripulación hubiesen tenido de qué quejarse, tan placentera habría resultado la travesía en el bergantín goleta.

Sin embargo, la persistencia ininterumpida de los vientos del este no dejaban de preocupar al capitán Hull, pues le impedían el poder conseguir orientar perfectamente a su barco. Temía sobradamente el capitán Hull, las calmas que suelen sobrevenir cuando se acercarían al Trópico de Capricornio, sin olvidar la corriente ecuatorial, que podía causarle una desviación hacia el oeste. Esto significaba retrasos imprevistos en la travesía, lo cual preocupaba al capitán sobre todo a causa de la señora Weldon que sólo deseaba llegar al final del viaje cuanto antes mejor.

Cuando se encontraban con algún trasantlántico que se dirigía hacia América, el capitán sentíase tentado de aconsejar a la pasajera que se embarcara en él. Sin embargo, se encontraban en latitudes demasiado elevadas para que se cruzaran con algún barco que se dirigiera hacia Panamá, y por otra parte, en aquellos tiempos, las comunicaciones por el océano Pacífico ante Australia y el Nuevo Continente no eran tan frecuentes como lo fueron posteriormente.

No quedaba otra solución que dejar los acontecimientos que se desarrollaran según tenía previsto la Providencia, ya que parecía que nada iba a perturbar aquella tan monótona travesía. Pero, inesperadamente, el primer incidente se produjo precisamente el día 2 de febrero y entre la latitud y longitud indicada al principio de esta singular historia.

A eso de las nueve de la mañana de aquel día que habíase presentado tan claro, Dick Sand y Jack se encontraban sentados sobre las barras de los mástiles de juanete desde donde dominaban todo el barco, en anchuroso radio. En dirección a popa, el perímetro del horizonte aparecía ante sus ojos, cortado por el palo mayor que ostentaba la mesana y la flecha. El faro les ocultaba una parte del mar y del espacio. Hacia adelante veían alargarse sobre las agitadas olas el bauprés, con sus tres foques que se extendían lo mismo que alas abiertas y desiguales. Por la parte de abajo se recortaba el trinquete, así como por encima el masterelillo y el juanete menor, cuya relinga temblaba a impulsos de la brisa. El bergantín goleta amuraba a babor y ceñía el viento todo cuanto era posible.

Estaba en aquellos momentos Dick Sand contándole a Jack que el *Pilgrim,* perfectamente equilibrado en todas sus partes, no podía en forma alguna zozobrar aunque se trincase muy fuerte a estribor. En aquel instante, fue cuando el niño le interrumpió señalando hacia el mar con su brazo extendido:

—¿Qué es aquello que se ve, Dick?

—¿Qué cosa? —quiso saber Dick Sand irguiéndose sobre las barras.

El pequeño no dejaba de señalar lo que había llamado su atención y repitió:

—¡Aquello de ahí! ¡Aquello, Dick Sand!

Dick Sand miró con concentrada atención lo que el niño había señalado y de pronto, gritó, con voz fuerte:

—¡Atención! ¡Un hallazgo en dirección al viento, hacia estribor!

Capítulo III

EL NAVIO MISTERIOSO

Al grito dado por Dick Sand toda la tripulación se lanzó sobre la borda de estribor para ver lo que el grumete había anunciado. El capitán Hull había abandonado su camarote y se dirigió hacia la avanzada. Hasta el indiferente primo Benedicto, lo mismo que la señora Weldon y su criada Nan habían corrido con curiosidad a la borda.

Solamente Negoro, el cocinero portugués, no se había movido de la cocina, y pareció ser de toda la tripulación el único al que el hallazgo no le importara gran cosa.

Desde la cubierta, todos contemplaban con creciente curiosidad y atención el objeto que a lo lejos las olas mecían como acunándolo, a unas tres millas del *Pilgrim*.

—¿Qué diablos será eso? —murmuró expectante uno de los marineros. Pero el compañero que tenía a su lado, dijo sin darle gran importancia:

—Posiblemente se tratará de alguna jangada. Me parece reconocer en ello, el casco de un barco inclinado sobre uno de los costados. Ya vi uno hace muchos años, durante otro viaje.

La señora Weldon observó con cierta pena en su voz:

—Si es, como dicen, una jangada, quizá haya en ella todavía algunos infortunados náufragos.

—Pronto saldremos de dudas —decidió el capitán Hull—. Pero no es una jangada, sino el casco inclinado de un barco.

—¡Bah...! —exclamó el primo Benedicto—. ¡No será otra cosa que algún animal marino. Un mamífero seguramente de gran tamaño.

—¡No creo que sea lo que usted supone! —contestó a su vez el grumete.

—Entonces, ¿qué supones tú que será, Dick Sand?

—Lo que ha dicho el capitán... el casco de un barco inclinado hacia uno de sus costados. Hasta parece que distingo, brillando al sol, la carena de cobre.

—Así es... —afirmó el capitán Hull—. ¡Miradlo!

Y dirigiéndose al timonel ordenó:

—Bolton, ponga la barra al viento. Deja que el viento nos arrastre hasta llegar cerca del obstáculo.

—Al momento, capitán —respondió el timonel cumpliendo la indicación del capitán.

En aquel momento el primo Benedicto insistió obstinadamente:

—Pues, yo, por mi parte, sigo en mis trece. Sigo diciendo que se trata de un animal marino.

Pero la señora Weldon corrigió:

—Si así fuese como tú dices, —aseguró la señora—, el cetáceo estaría muerto, porque lo que vemos no lleva a cabo ningún movimiento propio...

—¿Que es lo que dices, prima Weldon? ¿Y por qué no puede ser una ballena viva? ¿Por qué? ¿No sería esta la primera vez que se encuentra una ballena que está durmiendo plácidamente sobre las olas!

—Así es —ratificó el capitán Hull—, pero en esta ocasión no se trata de una ballena sino del casco de un barco. No tardaremos en comprobarlo.

Pero el primo Benedicto no quería en modo alguno dar su brazo a torcer y replicó, muy seguro de sí mismo:

—¡Ya lo veremos, capitán Hull!

Y el capitán seguía mandando:

—¡Vamos, Bolton! ¡Gobierna, gobierna! ¡No vayas a chocar con ese obstáculo... no te aproximes demasiado! No quiero que se lastimen los costados del *Pilgrim*. ¡Cuidado! ¡Orza, Bolton! ¡Orza!

—¡Descuide, capitán Hull!

La proa del bergantín goleta que estaba dirigida hacia el obstáculo al punto fue desviada ligeramente para evitar los posibles daños que había previsto prudentemente el capitán.

Todavía se hallaba el *Pilgrim* a una milla del casco inclinado del barco. Ya no cabía la menor duda respecto a su identidad. Los marineros lo contemplaban más que con curiosidad con avidez. ¿Quién sabe, pensaba cada cual, si contenía un cargamento de valor que fuera posible trasladar al *Pilgrim* fácilmente?

Como se sabe, en esta clase de salvamento, los objetos de valor pasan inmediatamente a manos y poder de los salvadores y, en aquel caso, como había ocurrido muchas veces, si el cargamento del barco hallado no estaba averiado, la tripulación de la goleta habría obtenido lo que en argot marinero se llama "una buena marea". Sería una fortuna que bien les compensaría de la mala suerte que en aquella expedición habían sufrido.

Media hora más tarde, el obstáculo se encontraba a menos de media milla del bergantín goleta.

Se trataba en efecto de un navío que se presentaba por el flanco de estribor. Se hallaba inclinado hacia el empalletado, tan oblicuamente, que casi parecía del todo imposible poder tenerse de pie en el puente del mismo. Nada quedaba de su arboladura a la vista. De los portaobenques pendían algunos cabos de jarcía rotos y las cadenas destrozados sus eslabones de las vigotas. En la parte de estribor, entre la vigueta y los bordajes echados a perder, aparecía una amplia abertura.

Dick Sand, al observarlo, exclamó:

—¡Este barco fue abordado!

Y el capitán Hull consideró ratificando la misma opinión del grumete:

—Sin duda alguna, y lo que más me asombra es que no se haya ido a pique todavía.

—En caso de que haya sufrido un abordaje, es muy probable que la tripulación fuese recogida por el otro barco —consideró la señora Weldon.

Pero el capitán sugirió:

—Lo que usted dice, señora Weldon, es muy probable pero también puede haber ocurrido que la tripulación haya usado de sus propias lanchas para ponerse a salvo, y además de la colisión entre los dos barcos el otro haya proseguido su camino, como en algunas ocasiones suele pasar lamentablemente.

—¿Cómo es posible tal comportamiento tan inhumano, capitán Hull?

—Lamentablemente, sí, señora Weldon. Suele ser bastante corriente tal proceder. Pero por lo que respecta a que el barco esté sin tripulación, parece indicarlo el que no aparece un solo bote, y de no haber sido recogida la gente a bordo del otro barco, quizá haya intentado llegar a tierra... Pero, hallándose a tanta distancia del continente americano y de las islas de Oceanía, es de temer que no lo hayan logrado.

La señora Weldon consideró, expresando en voz alta su pensamiento:

—Quizá jamás sea posible aclarar la terrible catástrofe sufrida ni los motivos que la ocasionaron si, como usted teme, capitán, ninguno de los componetes de la tripulación logró sobrevivir a este desastre. Pero es posible que quede todavía algún hombre en el casco de este barco.

—Me temo que no, señora Weldon —lamentó el capitán Hull, añadiendo—: Se habrían dado cuenta de nuestra aproximación y al punto nos estarían aguardando con los brazos abiertos como es de comprender. Sin embargo, preciso será comprobarlo, en tales casos todas las más insólitas sorpresas son posibles. —Y gritó de nuevo al timonel—: ¡Orza de nuevo un poco más, Bulton! ¡Orza de nuevo!

Bien pronto el *Pilgrim* se encontró a tres cables escasos del obstáculo y ya no podía dudarse de que el casco del barco había sido totalmente abandonado por toda la tripulación.

Pero, en aquel preciso instante, Dick Sand hizo un enérgico gesto reclamando silencio inmediato.

—¡Silencio! ¡Prestad atención! ¡Escuchad! —pidió.

Todos los del barco pusieron oído atento. Dick, declaró seguro:

—He oído el ladrido de un perro.

Así era. Procedente del interior del casco llegaba el ladrido de un perro repetidamente. No cabía la menor duda de que dentro del casco había quedado un perro vivo, posiblemente encerrado o bien apresado entre maderas que le imposibilitaban toda salida a la inclinada cubierta del barco abandonado. También era posible que hubiesen quedado todas las escotillas cerradas y el infortunado can hubiese quedado cautivo dentro del casco. La señora Weldon, conmovida, resolvió:

—Capitán Hull, aunque no quede otro ser con vida dentro de ese barco que el perro que está lastimeramente ladrando, le salvaremos igualmente.

—¡Muy bien, mamá! —exclamó el pequeño Jack—. ¡Sí, le salvaremos! ¡Y yo le daré de comer...! ¡Y él nos querrá mucho a todos! ¡Mamá, voy a buscar terrones de azúcar para darle!

Pero la señora Weldon interrumpió al pequeño:

—¡Calla, hijito! ¡Calla! El desventurado animalito debe estar casi muriéndose de hambre, y sin duda preferiría una buena tajada de carne a unos terrones de azúcar.

Pero el niño, en su afán generoso, contestó con viveza:

—Pues en tal caso que le den mi sopa. Yo puedo pasarme muy bien sin tomarla, mamá.

En aquel instante, los ladridos del perro se dejaron oír con más nitidez. Sólo unos trescientos pies, aproximadamente, separaban al *Pilgrim* del casco del barco abandonado. De pronto apareció un perro de gran tamaño sobre el empalletado de estribor y comenzó a ladrar con más enconada desesperación que anteriormente. Entre los tripulantes del bergantín goleta se extendió un general sentimiento de simpatía y ternura hacia el pobre animal.

—Howick —mandó el capitán al jefe de la tripulación del *Pilgrim*—. Pon el barco al pairo y que echen la lancha pequeña al mar. ¡Rápidos!

—Sí, mi capitán —respondió Howick.

La lancha fue lanzada al agua al momento. El capitán Hull, Dick Sand y dos marineros más saltaron en ella.

El perro seguía ladrando desesperadamente. Desde la cubierta inclinada, adelantada la cabeza enhiesto sobre las piernas y ladraba a los que acudían a salvarle. Sin duda alguna con su fino instinto y viva inteligencia, advertía que la presencia de su siempre amigo, el hombre, equivalía a una ayuda y salvación segura. De vez en cuando, debido a la acusada inclinación de la cubierta resbalaba y caía sobre el empalletado para volver a levantarse de nuevo para proseguir ladrando sin descanso. Se deducía que el perro había permanecido en el interior del casco ya que en la cubierta le era del todo imposible mantenerse por mucho tiempo en total verticalidad y que sólo había salido al advertir la proximidad del barco salvador.

Mientras la lancha se alejaba acercándose al casco del barco, la señora Weldon se preguntaba si habría quedado milagrosamente algún superviviente náufrago en el interior del casco que debido a su lamentable estado de debilidad, o quizá herido no le hubiese sido posible salir a la cubierta con la misma facilidad que el can.

Ya la lancha había alcanzado uno de los lados del barco, cuando el perro pareció cambiar de actitud. A los primeros ladridos con los que invitara a los marineros a aproximarse habían sucedido otros de inaudito furor sin que se adivinara la causa de los mismos. Una sorprendente y temible furia había sobrevenido al animal. El capitán no pudo por menos que preguntar:

—¿Qué diablos le habrá ocurrido a ese pobre perro que ahora, de pronto, se muestra tan encolerizado? ¿Por qué motivo?

Lo que el capitán, lo mismo que el resto de su tripulación no había advertido era que el perro había comenzado a ladrar encolerizado tan pronto asomó a la cubierta el cocinero Negoro, que abandonando la cocina se dirigía hacia la proa para reunirse con los demás.

¿A qué se debía aquella extraña actitud, tan incomprensible? ¿Era posible que el perro conociera al cocinero o que le reconociera tan pronto como le vio asomar a la cubierta del *Pilgrim?* En tal caso ¿qué relación anterior habría existido en-

Lopez espl

tre ambos? Pero, lógicamente, establecer esta relación anterior entre los dos, resultaba poco verosímil.

Por una u otra causa, después de haber el cocinero mirado al perro y sin demostrar emoción ni extrañeza alguna, Negoro, cuyo ceño, sin embargo, se había fruncido repentinamente con desagrado, fue a reunirse al resto de la tripulación abocada a estribor y pendiente de las operaciones de rescate del animal que el capitán con Dick Sand y los dos otros marineros estaban llevando a cabo.

La lancha, en tanto, había dado la vuelta a la popa del barco, que mostraba totalmente visible este único nombre: *Waldeck*.

Solamente *Waldeck*, sin otra clase de indicación del lugar o punto a que pertenecía. Por la forma del casco y otros detalles complementarios el capitán Hull, como marinero experimentado, pudo deducir sin posibilidad de error que el barco era de construcción americana, porque para cuantos se dedican a una especialidad determinada, sea la que fuere, las cosas que tratan siempre contienen un lenguaje fácilmente legible para los entendidos y totalmente extraño para los profanos. Por otra parte, el mismo nombre del barco lo confirmaba. Pero sólo el casco era cuanto quedaba de lo que había sido el navío, de un tonelaje aproximado a las quinientas toneladas.

En la proa del *Waldeck* la amplia grieta astillada indicaba claramente el punto donde se había producido la colisión o abordaje con el otro barco desconocido. Debido a la inclinación que había tomado el casco aquella abertura se encontraba a una altura aproximada de cinco o seis pies sobre el agua, lo cual explicaba sin ningún género de dudas el motivo por el que el bergantín no se había hundido definitivamente yéndose a pique.

Sobre el puente no quedaba nadie más que el perro aullando. El can se había deslizado hasta la escotilla central, que estaba abierta, y unas veces ladraba hacia el interior y otras hacia el exterior, lo mismo que si con sus ladridos e indicaciones quisiera explicar algo a su manera y según sus limitadas posibilidades.

Dick Sand observó rápidamente:

—Por lo que parece este perro no está totalmente solo a bordo. Observe, capitán Hull, su comportamiento.

—Estoy totalmente de acuerdo contigo, Dick —ratificó el capitán.

El puente del bergantín estaba totalmente arrasado de un punto a otro, desde proa a popa. No quedaban más que algunos pedazos del palo mayor y del mástil del trinquete, quebrados ambos a dos pies por encima de la foganadura. Posiblemente habíanse derrumbado al tremendo choque de la colisión habida, arrastrando consigo los obenques y las jarcias. Como en toda la cubierta no aparecía objeto alguno hacía suponer que el abordaje había tenido lugar hacia ya bastantes días y toda la cubierta había sido como barrida por el mismo vaivén del casco inclinado que había ido arrojando cuanto en la cubierta había quedado. Tampoco en las aguas alrededor del navío aparecía nada flotando, lo cual reafirmaba que el suceso había ocurrido días anteriores y que las aguas habían alejado cuanto en ellas había quedado flotando. La catástrofe del *Waldeck* había ocurrido bastantes días atrás, no cabía la menor duda después de observar tales indicios.

El capitán resumió sus pensamientos anteriores, diciendo:

—No espero encontrar a nadie con vida en el interior del casco. Sin duda, o perecieron en el abordaje o en caso de haber quedado en los restos de este bergantín algún sobreviviente, creo habrán perecido de sed y hambre pues no es de extrañar que, debido a la posición en que el barco se encuentra, el agua por lo menos haya inundado hasta la misma despensa. ¡Sólo deben quedar a bordo los cadáveres de los infelices que vivieron tan trágico suceso!

—¡Dios no lo quiera, capitán Hull! ¡No, no! Yo creo que el perro no ladraría de ese modo, capitán. ¡En el interior deben encontrarse seres todavía con vida!

En aquel instante, el perro, atendiendo a la llamada que le hizo el grumete, se arrojó al agua y nadando con grandes trabajos se fue acercando a la lancha con verdaderas muestras de agotamiento.

Dick Sand se apresuró a recogerlo metiéndolo dentro de la

ia:,na y acariciando al excitado animal, que con avidez aceptó el pedazo de pan que le ofreció el grumete y luego se precipitó sobre un balde en el que había un poco de agua dulce.

Dick Sand, mirando con simpatía al perro, exclamó:

—¡Este perro está muerto de sed!

La lancha en tanto buscaba un sitio apropiado para poder entrar sus ocupantes en el casco ladeado del *Waldeck* y con tal objeto se alejó algunas brazas. Sin duda, el perro, interpretó la maniobra como el propósito de los ocupantes de la lancha como para alejarse definitivamente del barco que había sido abordado, porque de pronto se agarró con los dientes a la manga de Dick Sand y comenzó a lamentarse con insistentes ladridos casi gruñidos dados con sigular energía e insistencia. Pero sobradamente fue comprendido. Su mímica y su lenguaje eran tan claros como pueden el de los hombres. La lancha avanzó hasta la serviola de babor. Fue amarrada con fuerza por los dos marineros de la lancha mientras el capitán Hull y Dick Sand ponían, al mismo tiempo que el perro, pies en el puente del navío. No sin trabajos consiguieron alcanzar la escotilla que estaba abierta entre los dos mástiles rotos. Por la escotilla consiguieron meterse en la cala del *Waldeck,* que estaba casi llena de agua. La cala no guardaba mercancía alguna. Estaba vacía. El bergantín navegaba gracias al lastre de arena que se había corrido a uno de los lados, a babor, y que causaba la inclinación del casco. Pronto vieron que en aquel lugar, por lo menos, no había ninguna vida que rescatar.

—No hay nadie en la cala —decidió el capitán Hull terminada la inspección ocular de aquel punto.

El grumete había llegado hasta la parte anterior de la cala y regresando junto al capitán, asintió:

—En efecto, no hay nadie, capitán.

Pero, el perro que estaba en el puente, continuaba ladrando inquieto e impaciente esforzándose al parecer en llamar la atención del capitán.

—Subamos de nuevo —decidió éste.

Otra vez aparecieron ambos en el puente. El perro, corriendo hacia ellos, trató de acompañarlos hasta la duneta. Lo siguieron.

Julio Verne

Allí encontraron los cuerpos de cinco hombres. Aparentemente, por lo menos, cinco cadáveres.

A la luz que por las claraboyas entraba en la duneta, el capitán reconoció a los cinco. Eran cinco negros. Estaban, al parecer, todos muertos.

Pero mientras iban de un lado a otro, de pronto, Dick Sand creyó notar que uno de ellos todavía respiraba.

—¡A bordo! —mandó el capitán Hull. ¡A bordo! ¡Que los lleven a bordo del *Pilgrim!* ¡Quizá todavía sea posible hacer algo por ellos!

Con la ayuda de los dos marineros que conducían la lancha los trasladaron a ésta y después los subieron con muchos esfuerzos hasta la cubierta del *Pilgrim,* ante la expectación de toda la tripulación. Mediante algunas gotas de un cordial y después de un poco de agua fresca esperaban que reaccionaran recobrándose a la vida. Seguían inconscientes sin darse cuenta siquiera del traslado que habían hecho de sus cuerpos de un barco a otro.

—¡Infortunados! —exclamó, apiadada, la señora Weldon al ver a aquellos infelices en tal estado de agotamiento cuyos cuerpos seguían totalmente inertes. Pero Dick Sand, animosamente, exclamó con entusiasmo:

—¡Viven, señora Weldon! ¡Viven! ¡Los salvaremos! ¡Sí, Dios mediante, conseguiremos salvarles!

—¿Qué les ha ocurrido a esos hombres? —quiso saber el primo Benedicto disimulando su emoción.

Pero el capitán le interrumpió.

—Aguarde a que puedan de nuevo hablar. Entonces, y sólo entonces, sabremos lo que realmente ocurrió en ese bergantín. Ante todo démosles de beber un poco de agua, a la que añadiremos unas gotas de ron. Y luego veremos.

Seguidamente dando la vuelta, gritó:

—¡Negoro!

Tan pronto hubo gritado ese nombre, el perro erizó las orejas y se tensó todo él enfurecido y con los ojos encendidos, abriendo la boca poderosa.

Pero, curiosamente, el cocinero no aparecía por parte alguna.

El perro demostró renovadas muestras de furor, gruñendo prolongada y sordamente.

Negoro apareció saliendo de la cocina.

Y al mismo tiempo que irrumpía en el puente, el perro ladró enloquecido y de pronto se lanzó sobre él pretendiendo morderle de una furiosa dentellada en la garganta.

Negoro, con un hierro que esgrimía en la mano derecha, rechazó al animal, al que por fin lograron contener y sujetar algunos de los marineros con asombro de todos por la actitud del can a la sola vista y por vez primera del cocinero portugués. Intrigado y con un leve ceño de preocupación, preguntó a Negoro, el capitán Hull:

—¿Negoro, conoce usted a ese perro?

—¿Qué es lo que dice, capitán Hull? ¿A ese perro? ¡Jamás le había visto antes en mi vida! ¡maldito bicho! ¡La ha tomado conmigo sin que yo sepa por qué!

Dick Sand miró penetrantemente a los ojos del cocinero portugués pero brillaba en estos tal perplejidad y al parecer sincera expresión que el joven grumete no pudo por menos que murmurar entre dientes:

—¡Todo esto es muy extraño! ¡Muy extraño!...

Capítulo IV

LOS FANTASMAS SUPERVIVIENTES
DEL *WALDECK*

La trata de negros, en aquella época, se realizaba en gran
escala en todo el continente africano en su parte equinoccial.
En vano lograban impedir tan miserable comercio las campañas
antiesclavistas llevadas a cabo por ingleses y franceses; con el
comercio de ébano, traficantes sin escrúpulos realizaban con
la compra y venta de negros lucrativos negocios. Todos los años
salían de las costas de Angola y Mozambique cargados de carne esclavizada transportando esclavos a diferentes lugares del
mundo civilizado.

Naturalmente, el capitán Hull, lo mismo que todas las personas del mar, no lo ignoraban. El capitán no pudo por menos
que preguntarse, a pesar de que aquellos parajes no eran tran-
sitados por los barcos negreros, si los supervivientes del *Waldeck*
a los que terminaban de dar asistencia y socorros humanos, serían los restos de una partida de esclavos que llevaba el bergantín abordado, con el propósito de venderlos en alguna de las
costas del Pacífico. De ser así, al punto aquellos negros auxiliados quedarían en libertad inmediatamente por disposición del
capitán Hull que ya deseaba hacérselo saber para proporcionar

a los desventurados una alegría en compensación a los sufrimientos físicos que habían pasado en su abandono.

Se les facilitó toda clase de cuidados para su restablecimiento. La señora Weldon, ayudada por Dick Sand y la criada Nan, les había dado un poco de agua fresca para beber, de la que llevaban privados varios días y esto unido a un ligero alimento, bastó para que se recobraran poco a poco.

Fue el más viejo de ellos, un negro que debía rondar los sesenta años el primero que se encontró en condiciones de poder hablar y quien contestó a las primeras preguntas que le fueron formuladas y a las que dio adecuada respuesta en perfecto inglés. El capitán Hull fue quién llevó a cabo el interrogatorio de los supervivientes:

—¿Qué es lo que ocurrió? ¿Fue el bergantín abordado por otro barco?

El viejo negro contestó, asintiendo con un movimiento de cabeza:

—Sí, señor. Nuestro barco chocó, hace unos diez días con otro, durante una noche muy oscura. Nosotros íbamos durmiendo cuando ocurrió el abordaje, señor.

—¿Y qué fue de la tripulación y de cuantos iban en el Waldeck?

—Lo ignoro, señor. Cuando con mis compañeros subimos a la cubierta ya nadie quedaba en ella. Todo el mundo había desaparecido como tragados por el mar.

—¿Crees posible que la tripulación del Waldeck, fuese auxiliada y embarcada en el navío que chocó con el vuestro?

—No lo sé, señor. Quizá ocurrió como usted piensa, y así yo deseo que hubiese ocurrido para bien de todos ellos. Pero ignoro si ocurrió como supone.

—Pero el barco, después del choque ¿no acudió a darles socorro?

—No, señor.

—¿Acaso se hundió como consecuencia del abordaje entre las dos naves?

—No, señor. El otro barco no naufragó. Vimos perfectamente cómo se alejaba en la oscuridad de la noche.

Lo que aseguraba el viejo negro podría resultar increíble, pero sus palabras fueron corroboradas por los otros supervivientes restantes. Pero no solían ser poco frecuentes, los casos en que los capitanes causantes del abordaje, comprometidos a causa de su imprudencia, decidían abandonar a su desventurada suerte a los tripulantes del barco que habían abordado, con lo cual, si los supervivientes perecían, no quedaban testigos de la torpeza llevada a cabo que desprestigiaba totalmente al capitán que la había cometido.

Las circunstancias y los hechos son parecidos a la conducta intolerable de muchos conductores de vehículos que después de causar un atropello por imprudencia, emprenden la fuga dejando abandonada y sin auxilio a la víctima que puede perecer en el abandono de que es objeto. Sin embargo, todavía las víctimas de los conductores de vehículos les queda una esperanza de encontrar auxilio humano en los transeúntes, pero los que quedan abandonados en la soledad del mar son víctimas de una desoladora inhumanidad.

El capitán Hull prosiguió preguntando:

—¿De donde procedía el *Waldeck*?

—De Melbourne, señor.

—¿Son ustedes esclavos?

—No, señor. Somos del Estado de Pensilvania y ciudadanos de la América libre.

El capitán creyóse obligado a decir:

—Señores, sepan ustedes que en nada queda comprometida su libertad al ser recogidos y auxiliados por el bergantín goleta *Pilgrim*.

Al punto y seguidamente, el más viejo de los negros contó al capitán que habían sido contratados en calidad de trabajadores por un inglés que poseía una extensa explotación cerca de Melbourne, en Australia meridional. Habían trabajado allí durante tres años con gran provecho para ellos, y, una vez terminado el compromiso concertado, regresaban a América en el *Waldeck*.

Habían abonado su pasaje como pasajeros y el día 5 de diciembre habían salido de Melbourne, hasta que diecisiete días más tarde, durante la navegación, habían sido abordados en una noche oscura por otro barco, un gran *steamer,* al parecer.

Todo ocurrió con una brevedad estremecedora. Se encontraban los negros acostados, cuando de pronto, por efecto de la tremenda colisión, fueron precipitados como objetos hacia el puente.

Toda la arboladura del navío se había venido abajo en un instante. El *Waldeck,* a efectos del colosal choque, se había caído sobre uno de los flancos y, si no se fue rápidamente a pique, fue debido a que el agua sólo había invadido la cala en una cantida insuficiente.

Respecto al capitán y la tripulación todos habían desaparecido, lo cual podía haber ocurrido a que fueran proyectados al mar o bien a que alcanzaran a ser recogidos por el barco causante del trágico abordaje, el cual desapareció en la oscuridad de la noche después de haber ocurrido la colisión.

Así había sido como los cinco negros quedaron abandonados y totalmente solos a bordo de un casco totalmente inutilizado, a una distancia de unas mil doscientas millas de la tierra.

Los otros cuatro negros eran jóvenes de edades que oscilaban entre los veinticinco a los treinta años, cuyos nombres eran los siguientes: Bat, que era hijo del más viejo, llamado Tom; Austin, Acteón y Hércules. Eran los cuatro jóvenes recios y de elevada estatura tan vigorosos que se hubieran ofrecido elevados precios por ellos en cualquiera de los mercados de esclavos existentes en el Africa central. A pesar de haber sufrido de un modo terrible los dolores de la sed y el hambre, prontamente habían reaccionado saludablemente recobrándose fácilmente. Se les notaba en todos ellos la profunda huella de la educación liberal norteamericana.

Durante los diez días que habían transcurrido entre la colisión sufrida por el *Waldeck,* y el momento en que había sido recogidos y auxiliados por la tripulación del *Pilgrim,* los cincos negros se habían alimentado con algunas provisiones que habían hallado todavía en la cocina del bergantín abordado. Les había sido del todo imposible entrar en la cocina llena de agua y por no haberles sido posible disponer de ninguna clase de bebida habían sufrido indeciblemente los tormentos de la sed, hasta que, a causa de ella, habían perdido el conocimiento siendo salvados de una muerte segura con la oportuna llegada del *Pilgrim*.

Así fue cómo el viejo negro Tom contó al capitán cuanto había ocurrido y a su vez ratificado por los otros negros. Por otra parte no existía motivo alguno para poner en duda las palabras del anciano Tom, ya que los hechos a la vista y los resultados de los mismos en nada contradecían sus anteriores palabras. Sin duda alguna otro ser vivo también salvado del abordaje, el perro, habría hablado con la misma franqueza de disponer del don de la palabra.

Sin embargo, resultaba inexplicable la conducta del perro que con tan sólo ver al portugués Negoro, enloquecía de furia. Desde el primer momento, entre los dos se había establecido una corriente de peligrosidad y de enconada hostilidad inexplicables.

Dingo era el nombre del perro y pertenecía a esta clase de mastines característicos de Nueva Holanda. No era, sin embargo, en Australia donde había sido adquirido Dingo por el capitán del *Waldeck*. Dos años antes, Dingo, errante y medio muerto de hambre, había sido hallado en el litoral occidental de Africa, en las cercanías de la desembocadura del Congo. El capitán del *Waldeck* había acogido a aquel hermoso ejemplar que, habiéndose manifestado poco tratable, parecía de continuo echar de menos a un antiguo amo, del cual hubiese sido separado bruscamente, y al que de ninguna forma había logrado volver a encontrar en tan desiertos parajes. Todo indicio de relación entre el pasado y el presente de aquel hermoso perro, se cifraba en unas letras iniciales grabadas en su collar: "S. V."

Era Dingo, una magnífica bestia, un ejemplar de noble estampa, robusto y más alto que los perros de los Pirineos. Se trataba, como ya dijimos anteriormente, de un bello ejemplar de perro de Nueva Holanda. Cuando se levantaba sobre los dos cuartos traseros y echaba la cabeza hacia atrás, alcanzaba la estatura de un hombre normal. Su fuerza muscular así como su asombrosa agilidad, habíanle convertido en uno de esos animales cuyos ataques son vigorosos y carecen de vacilación alguna cuando se lanzan sobre la presa, capaces de enfrentarse a jaguares y panteras y sin temor frente a un oso. Su pelaje era espeso, provisto de larga cola, tiesa y erguida como la de un león y de un color flavo oscuro en su conjunto total. Dingo, era un hermoso perro y sólo presentaba unas pequeñas manchas blancas en el hocico. Un animal que dominado por la ira resultaba temible. Se comprenderá fácilmente que Negoro, el cocinero, sintiera temor a su presencia y a las demostraciones de abierta y espontánea hostilidad que le había exteriorizado tan sólo verlo aparecer en la cubierta del *Pilgrim*. ¿A qué podía ser debido el comportamiento del perro, cuando al parecer hombre y perro era aquella la primera vez que se encontraban y veían?

Pero, normalmente, el perro se mostraba tratable, agradecido a las demostraciones de simpatía de que era objeto por parte de la tripulación. Pero se mostraba frecuentemente poco tratable, entristecido por algún motivo oculto, con esta tristeza profunda, puramente animal que sólo son capaces de manifestar los perros. Una observación notada por el viejo Tom, durante su permanencia en el *Waldeck* era de que a aquel perro no parecía gustarle los negros. Sin mostrarse hostil ni agresivo con ellos, procuraba huirles. Se suponía que por la costa africana por la que había merodeado abandonado y hambriento, el perro quizás había sufrido malos tratos de algunos indígenas. Así, pues, aunque Tom y sus compañeros de color eran personas bandadosas, Dingo nunca los acariciaba ni se acercaba a ellos para nada. Los días en que el perro con los cinco hombres había permanecido en el casco abandonado del barco abordado, el perro habíase mantenido a distancia de los cinco negros comiendo aparte sin saber por qué y sin juntarse en ninguna ocasión a ellos y sufriendo lo mismo que los hombres el tormento de la sed.

Tal había sido la suerte corrida por los supervivientes del *Waldeck* y a los que sólo quedaba, una vez atendidos por la tripulación del *Pilgrim*, cuidar de su repatriación, ya que en el triste suceso los cinco habían perdido todos sus ahorros reunidos después de tres largos años de trabajo constante. Estos iban a ser debidamente atendidos por el capitán Hull que se preocuparía de darles toda clase de facilidades. Una vez hubiese descargado en Valparaíso, el *Pilgrim* debía remontar hasta la altura del litoral californiano. Una vez llegados a este punto, Tom y sus cuatro compañeros de color serían acogidos por James W. Weldon, tal como aseguró su esposa y serían provistos de todo cuanto precisaran para llegar hasta el Estado de Pensilvania de donde eran oriundos.

Los cinco negros tranquilizados por las promesas de la señora Weldon veían más claro su porvenir antes tan inseguro y se mostraban sumamente agradecidos con la generosa dama y al capitán Hull. Era en realidad mucho lo que les adeudaban por el noble y humano comportamiento que les habían otorgado y, los cinco negros, aunque eran muy pobres no desesperaban de poder, en algún modo y ocasión, demostrar a sus benefactores su gran reconocimiento.

Capítulo V

UNAS MISTERIOSAS INICIALES: "S. V."

Proseguía su ruta interrumpida el *Pilgrim* procurando derivar en lo posible hacia el este. La persistencia de la calma no dejaba de causar preocupaciones al capitán Hull, no por el retraso de una o dos semanas que podría causar en la duración total del viaje sino por la fatiga que podía ocasionar tantos días de viaje en la señora Weldon, a la que deseaba proporcionar una travesía lo menos molesta posible en las limitaciones que suponía viajar en un barco ballenero como el *Pilgrim*.

Mas la señora Weldon era mujer de buen temple y agradable carácter y jamás asomaba de sus labios queja alguna. Sabía soportar todos los posibles enojos con filosófica paciencia.

Aquella misma noche del día 2 de febrero, el casco vacío del barco abordado desapareció definitivamente de vista sobre la superficie del mar.

La monotonía a bordo, rota por aquel incidente que la había animado, volvió de nuevo a la lentitud y hábito de antes. Los cinco negros colaboraban en lo posible en las tareas de la tripulación del barco. El viejo negro se apresuraba lo mismo que sus compañeros en dar su ayuda en todas las labores del barco en las que ellos pudieran ser útiles. Cuando el negro

Hércules, que hacía honor a su nombre, de vez en cuando tomaba parte en alguna maniobra, los demás podían permanecer sentados. Aquel negro gigantesco de fuerza extraordinaria, era capaz de mover él solo todo un aparejo completo.

El pequeño Jack abría enormemente los ojos contemplando al negro Hércules con admiración. Le parecía un gigante de color ébano, pero no sentía miedo alguno hacia él como a veces ocurre con los niños. En ocasiones, el negro hacía saltar al pequeño Jack entre sus brazos lo mismo que si se hubiera tratado de un muñeco de trapo y, entonces, el niño prorrumpía en gritos y carcajadas divertidas.

—¡Más arriba, Hércules! —pedía alborozado el pequeño Jack.

—Ahora mismo, señorito Jack —respondía el negro sonriendo y mostrando su poderosa y blanca dentadura. Y lo levantaba.

—¿Peso mucho? —preguntaba el niño, divertido.

—Para mí tanto como una pluma, señorito Jack —sonreía el negro Hércules.

—Pues siendo así, Hércules, levántame todavía más arriba. ¡Levanta más el brazo! ¡Más, más!

Hércules sosteniendo los dos pies del pequeño en una sola de sus poderosas manos, lo paseaba como lo haría un gimnasta en la pista de un circo. El pequeño Jack se veía entonces, grande, muy alto, por encima de las cabezas de las demás personas que a sus ojos maravillados de niño le parecían muy pequeñas.

Dick Sand y Hércules eran los amigos predilectos del pequeño Jack, pero no tardó en hacerse con un nuevo e inseparable amigo. El perro Dingo.

Tan pronto como el perro se encontró a bordo del *Pilgrim* su conducta en principio huraña fue cambiando notablemente. Quizá fue debido a que el niño suavizó al perro que siempre estaba jugando con él. Ya se sabe con el cariño que tratan los perros a los niños y el deseo que dedican a su seguridad. Todos advirtieron bien pronto que Dingo pertenecía a esa clase de perros que sienten predilección por los niños. Además, Jack jamás le hacía daño alguno. Sólo le gustaba jugar con él usándolo como si fuese un caballo. Galopaba a pelo sobre el robusto perro, el cual le toleraba todo y en realidad el pequeño Jack pesaba bien poco para la resistente corpulencia del mastín.

Bien pronto, se convirtió en el favorito de toda la tripulación.

Solamente Negoro, el cocinero, evitaba en toda ocasión encontrarse o ser visto por el perro, cuya antipatía hacia él seguía tan viva como el primer día en que ambos se encontraron en la cubierta del *Pilgrim*.

La señora Weldon seguía viendo la amistad de Dick Sand con su hijo con agrado.

Un día, el 6 de febrero concretamente, la señora Weldon se encontraba hablando con el capitán Hull, y éste dedicaba encendidos elogios sobre el joven grumete.

—Ese muchacho —decía a la señora Weldon— llegará a ser un excelente marino. Se lo aseguro, yo, señora Weldon. Se lo garantizo porque lleva en sí todo el instinto del mar y suple con la práctica diariamente ejercitada, lo que le falta en teoría. Asombra considerar cuánto sabe en el poco tiempo que lleva aprendiendo, señora Weldon. No tengo la menor duda de que llegará a ser un perfecto marino, señora Weldon.

—Así es, en efecto —dijo la señora Weldon—. Estoy enterada por mi marido que en cuanto termine esta campaña piensa mandarle a estudiar para que adquiera conocimiento de hidrografía, con propósito de que cuando sea llegado el momento oportuno pueda conseguir el título de capitán.

—Hace muy bien el señor Weldon en preocuparse por Dick Sand, señora. Es un muchacho que lo merece. Opino, por mi parte, con sobrados motivos, que Dick Sand llegará con los años a ser una honra de la marina americana.

La señora Weldon comentó con simpatía:

—¡La escuela de ese pobre chico ha sido muy dura, capitán Hull! ¡Ya lo sabe usted, capitán!

—Cierto, señora. Pero para las almas nobles el dolor y las severas lecciones de la vida siempre son bien aprovechadas. Y el muchacho ha sabido aprovecharlas comprendiendo que todo en la vida exige espíritu de sacrificio. ¡Será un hombre completo, señora Weldon!

En aquel momento apareció por el camarote de popa el primo Benedicto, abstraído como siempre a todo lo circundante y embebido en sus acostumbradas especulaciones. Comenzó a pasearse por el puente, buscando incomprensible entre las rendijas del empalletado, y huroneando en las jaulas de las gallinas, y pasando la mano por las juntas del puente como si estuviera totalmente ocupado buscando algo.

La señora Weldon no pudo por menos que preguntarle al verle tan preocupado qué hacía:

—¿Qué es lo que te ocurre, primo Benedicto? ¿Estás indispuesto, acaso?

—Me encuentro perfectamente, prima Weldon —repuso Benedicto sin dejar de seguir buscando—. Me encuentro perfectamente. Pero deseo cuanto antes llegar a tierra.

El capitán, a su vez, preguntó intrigado:

—¿Qué es lo que busca debajo del banco, señor Benedicto? ¿Se le ha perdido alguna cosa?

—¡Insectos, caballero! ¡Insectos! ¡Esto es lo que busco! ¿Qué otra cosa quiere que busque sino insectos que son muy valiosos para mi colección?

—Pues lo que es en el mar no creo, señor Benedicto, que encuentre muchos.

—Pero es que yo, señor capitán, no busco los insectos en el mar sino en el mismo barco que navegamos. ¡Insectos que bien podría encontrar a bordo algún ejemplar de, pongamos por caso...

La señora Weldon sonrió, al observarle:

—Primo Benedicto, pierdes el tiempo miserablemente. El capitán Hull tiene su barco tan limpio como un par de zapatos recién encerados. No hallarás nada de lo que buscas.

El capitán soltó la carcajada a la observación de la señora Weldon.

—Puede que en la cala del *Pilgrim* señor Benedicto, en cuentre usted algunas cucarachas, que, por cierto, supongo que para usted, carecerán de importancia.

En aquel instante, Dingo que se encontraba jugando con el pequeño Jack, se acercó al primo Benedicto y comenzó a corrotear a su alrededor festivamente.

—¡Basta, basta! —exclamó Benedicto rechazando al animal.

—¡Caramba! —exclamó el capitán Hull con ironía y sonriendo divertido—. Esto sí que no lo comprendo, señor Benedicto. Un hombre que respeta a las cucarachas, ama a los insectos y en cambio rechaza a un perro.

—¡Y sin embargo, es un perro muy bueno y cariñoso! —aseguró el pequeño Jack, acariciando al animal.

—¡Oh! —exclamó el primo Benedicto con desolación—. Este perro me ha decepcionado profundamente. ¿No es cierto que Dingo aunque de raza neozelandesa, fue recogido en la costa occidental de Africa? Pues, siendo así, esperaba encontrar en su pelaje algunos espécimes de hemípteros especiales correspondientes a la fauna africana...

—¡Bondad del cielo! ¿Qué asco de cosas estás diciendo, primo Benedicto?

—Tal como digo, querida prima. Por lo menos alguna irritante pulga... de nueva especie, naturalmente, y no de las corrientes...

El capitán se echó a reír bienhumorado y exclamó dirigiéndose al perro que levantó atenta y prestamente las orejas:

—¡Ya lo oyes, Dingo! ¡Has decepcionado al señor Benedicto por carecer de pulgones tal como él esperaba de ti! ¡Qué pena!

El entomólogo añadió:

—Ha sido en vano que le espulgara. No ha sido posible encontrarle un solo insecto.

—¡Y me alegro de ello, señor Benedicto!

—¡Caramba! ¿Y por qué, caballero, si puede saberse?

—Por la sencilla razón de que es usted un endiablado asesino de insectos. Lo mismo hubiera hecho con las pulgas del perro. Su condena a muerte hubiese sido irremediable.

—Cierto. Pero en beneficio de la Ciencia, señor capitán. No lo olvide.

Y todos se echaron a reír. En tanto el bergantín goleta proseguía lentamente su rumbo. El mar continuaba tranquilo, y los vientos, de vez en cuando, obligaban al *Pilgrim* a detenerse. La brisa era tan débil que el navío ballenero avanzaba poco a poco. Le era por tanto muy difícil alcanzar los parajes donde el viento reinante le serían más favorables para su ruta. En aquellos días, el primo Benedicto había intentado iniciar al joven grumete en los misterios de la entomología, pero el muchacho se había demostrado muy poco acorde con aquellos conocimientos que no le eran afines. Entonces, el sabio se había dedicado a los cinco negros a los que daba explicaciones de lo que nada entendían en absoluto. También habían optado por esquivar al primo Benedicto que les hablaba continuamente de los más raros insectos. Sólo Hércules le soportaba pacientemente aunque sin apenas escucharle las largas disertaciones y el sabio creía, por su silencio, que toda era atención y así opinaba que el gigantesco negro era él único que demostraba verdadera disposición para el estudio de la entomología lo cual no dejaba de causar cierto regocijo entre la tripulación. El colosal alumno escuchaba con tanta paciencia y docilidad que asombraba el contraste entre su fuerza y la apacibilidad de su carácter sumiso sin otro objeto que no causar enojo al primo Benedicto.

En tanto el primo Benedicto se entregaba como siempre a sus aficiones predilectas, la señora Weldon, por su parte, se entregaba a la instrucción del pequeño Jack, al que enseñaba a reconocer las letras y formar palabras con el conjunto de cubos en cada uno de los cuales se hallaba representada una letra. Al niño, tal sistema de enseñanza, le resultaba entretenido y útil como un juego pedagógico de gran eficacia y se entregaba con ilusión a la formación de palabras uniendo las letras pintadas en cada uno de los cubos.

Fue a causa de las letras que una mañana se originó un sorprendente suceso que llamó la atención de todos. Era el 9 de febrero. El pequeño Jack había extendido sobre el puente, los cubos de las letras, y acudía a todos para componer las diferentes palabras, cuyo trabajo, para él, constituía una importante tarea, indudablemente. Cuando así se hallaba ocupado, de pronto, Dingo comenzó a dar vueltas alrededor del pequeño Jack y, súbitamente, se detuvo. Su mirada inteligente se clavó en uno de los cubos. Levantó una de las manos y luego, de repente, agitó la cola nerviosamente. Seguidamente se arrojó sobre uno de los pequeños cubos de madera y lo agarró con los dientes y fue a dejarlo de nuevo en el suelo a unos pocos pasos de Jack. Aquel pequeño cubo de madera tenía pintada la letra "S".

Pero, antes de que los testigos de su rápida e inexplicable proceder se sobrepusieran a su propia sorpresa, el perro cogió otro cubo corriendo a colocarlo al lado del anterior.

Aquella nueva pieza elegida libremente entre las otras, llevaba pintada la letra "V" mayúscula.

El pequeño Jack no pudo por menos que prorrumpir en un grito de asombro.

La señora Weldon, el capitán Hull y el joven grumete que habían estado paseando por la cubierta habíanse reunido al niño y miraban, estupefactos, la operación tan inteligentemente llevada a cabo por el can. Jack les contó todo cómo había ocurrido. Y una cosa resultaba tan evidente como extraordinaria: el perro reconocía las letras, aquéllas que eran iguales a las que él llevaba grabadas en el collar. ¡Era algo fuera de duda!

El joven grumete intentó recobrar las dos piezas que había elegido el perro, pero éste se tensó sobre sus patas y le mostró fieramente los dientes impidiéndoselo y oponiéndose a ello. Pero el grumete se apoderó de los dos cubos y volvió a colocarlos entre los otros.

De nuevo el perro se acercó repitiendo igualmente las dos operaciones anteriores. Pero en esta ocasión no quitó las dos manos de encima de los dos cubos como si diera claramente a entender que estaba dispuesto a defenderlos con los dientes. Las demás letras del alfabeto parecía que para él no existieran.

—¡Es algo sorprendente y extraordinario! —exclamó la señora Weldon.

El capitán Hull que observaba con mucha atención las dos letras dijo reflexivamente:

—¡Sí, algo evidentemente singular! —Volviéndose después hacia el anciano negro, le preguntó:

—¡Tom, según usted nos dijo, el perro llevaba poco tiempo con el capitán del *Waldeck?*

El negro respondió asintiendo:

—Sí, señor capitán. Así era. Poco tiempo llevaba con el capitán del *Waldeck,* que había recogido ese perro en la costa occidental de Africa, en la desembocadura del río Congo, precisamente. Así lo había contado en algunas ocasiones el capitán.

—Siendo así cuando él recogió a Dingo, se ignoraba a quién había pertenecido antes, ¿no es así, Tom? Ni tampoco de dónde procedía el animal.

—Cierto, capitán Hull. Averiguar la procedencia de un perro abandonado es una tarea muy difícil; mucho más que la de un niño perdido, naturalmente. Sabido es que un perro carece de documentación que le identifique y además, no puede dar explicaciones de ninguna clase, pues preguntando de a serle posible, por sí mismo volvería a encontrar a su dueño, con más prontitud que una persona.

El capitán reflexionaba. De pronto, observó:

—El perro eligió precisamente, las letras "S" y "V" que son las que coinciden con las iniciales que lleva grabadas en su collar.

La señora Weldon intervino, preguntando:

—Capitán Hull, ¿acaso esas dos letras le sugieren a usted alguna idea respecto al perro? ¿Le recuerdan alguna cosa relacionada con Dingo?

—Pues, si he de decirle la verdad, señora Weldon, sí. En realidad es sólo una extraña sospecha no por ello menos singular, en relación con un recuerdo...

—¿Cuál, capitán?

—Verá usted, señora. Las dos letras elegidas por el perro y que éste a la vez lleva en el collar, me recuerdan a un intrépido viajero y deduzco que hasta muy bien podrían informarnos respecto a la suerte que éste corrió.

—Sea más claro capitán. ¿Qué es lo que quiere significar con tales palabras?

—Sepa, señora Weldon, que durante el año 1871 (han transcurrido por lo tanto dos años desde aquella fecha), la Sociedad Geográfica de París patrocinó el viaje de un explorador francés que tenía propósito de cruzar Africa de oeste a este. Como punto de partida había sido elegido la desembocadura del Congo. En cambio el punto elegido para dar remate a la expedición del viajero francés, era, caso de que la aventura llegara a buen fin, al cabo Delgado, situado en las bocas del Rovouma, cuyo curso tenía que seguir durante el largo viaje. Este viajero francés se llamaba Samuel Vernon.

La señora Weldon no pudo por menos que exclamar al oír aquel nombre:

—¡Samuel Vernon!

—Sí, señora. Samuel Vernon comenzó su viaje pero desde aquel entonces nada más se ha vuelto a saber de él. Ni una palabra, ni la más leve información respecto a su suerte. ¿Qué pudo haberle ocurrido? ¿Vive o murió en su empresa? ¡Jamás volvió a saberse nada de él!

—¿Jamás, capitán Hull?

—Nunca, señora. Nadie sabe si sigue vivo en algún lugar remoto de la misteriosa Africa o si por el contrario murió en uno de los múltiples peligros que le esperaban a lo largo de su arriesgado viaje.

—¿Y usted qué supone, capitán Hull?

—Lo más probable es que Samuel Vernon jamás pudo llegar a su punto de destino, ni siquiera a la costa oriental de Africa, quizá fue hecho prisionero por alguna tribu, o porque la muerte le interrumpió su osado viaje.

—¿Y qué tiene que ver en todo esto ese perro? Nuestro Dingo, capitán.

—Pienso si es posible que ese perro hubiese pertenecido al explorador desaparecido. Y en el caso de que mi opinión no fuese descabellada entonces es que el perro volvió al punto de partida, siendo que precisamente allí fue recogido por el capitán del *Waldeck* en la época en que ocurrieron dichos sucesos, o sea hace un par de años, el tiempo más o menos exacto que el capitán lo tenía consigo según nos ha informado el negro Tom.

Sin embargo, la señora Weldon no estaba totalmente convencida por los argumentos del capitán Hull. Preguntó algo que para admitirlos era decisivo según la respuesta que se diera:

—¿Y sabe usted si dicho explorador llevaba consigo un perro? ¿No puede negarse que de no ser así entonces todas sus suposiciones carecen de fundamento, capitán?

—En efecto. Y por ser puras suposiciones basadas en ligeros indicios, nada determinan, pero no es menos cierto que el perro Dingo reconoce las dos letras que no sólo pertenecen a las de su collar, sino son también las dos letras iniciales de Samuel Vernon, lo que sin lugar a dudas no deja de ser bastante curioso. Lo que no puedo explicarme bajo qué condiciones o circunstancias aprendió el perro a reconocer las dos letras entre las otras que seguramente desconoce. Por otra parte, no sólo las conoce sino que además, con el gesto de sus patas sobre cada una de ellas, parece invitarnos a que las reconozcamos, leyéndolas al mismo tiempo que él lo hace. ¿No es asombroso?

Indudablemente no era posible dudar respecto a la intención del perro mastín que daba tan aguda prueba de su inteligencia.

La señora Weldon volvió a preguntar:

—¿Se encontraba totalmente sólo Samuel Vernon cuando abandonó el litoral del Congo, capitán?

—No lo sé, señora Weldon, pero, probablemente, iba acompañado, como se suele, de alguna escolta de indígenas. Es lo más seguro.

En aquel instante acertó a salir de la cocina el cocinero portugués. Apareció en el puente. Nadie en principio se había dado cuenta de su presencia, ni tampoco nadie pudo advertir la especie mirada de recelo cuando vio que el perro retenía las dos piezas de forma cúbica en que estaban pintadas las dos letras reveladoras. Pero, de nuevo, cuando el perro vio al cocinero comenzó a dar muestras de verdadero furor.

Negro, el cocinero, volvió a entrar prestamente dentro de la cocina.

Pero cuanto había ocurrido no había pasado inadvertido al capitán que reflexivamente murmuró, casi para sí:

—Ante nosotros tenemos un misterio difícil de desvelar, señora.

Dick Sand repuso:

—Realmente es algo muy extraño el hecho de que un perro sea capaz de distinguir las letras del alfabeto, señores. ¿No les parece, algo fuera de lo normal?

Pero el pequeño Jack interrumpió vivamente entusiasmado defendiendo las aptitudes de su perro, al que había cogido tanto cariño:

—¡Un perro puede hacer esto y mucho más, Dick! Recuerdo que mi madre me contó, en cierta ocasión, que un perro sabía leer y escribir y además jugar al dominó como si fuera un verdadero maestro de escuela. ¡Era un perro muy listo! ¡Mucho!

La señora Weldon sonrió indulgentemente, cuando le aclaró a su hijo:

—Querido Jack, aquel perro que se llamaba Munito, no era tan eminente como tu supones. Si he de creer lo que me contaron, jamás supo distinguir una letra de otra que le servían para componer las palabras. Su dueño era un americano muy hábil y avispado y como en cierta ocasición había observado que Munito tenía un oído muy fino, lo educó en este sentido, consiguiendo efectos tan curiosos como sorprendentes.

—¿Y cómo se las compuso para lograr tanto de su perro, mamá?

—Muy sencillo, hijo mío. Cuando Munito tenía que *trabajar* ante el público, se le colocaban unas letras semejantes a estas encima de una mesa. El perro paseaba arriba y abajo de esta mesa, aguardando que se le indicara una palabra bien en voz alta, o en voz baja, sólo con la especial condición de que su amo conociera dicha palabra.

El grumete observó:

—Y en caso de no hallarse el amo delante, entonces el perro no podía actuar...

—En efecto, Dick, en tal caso el perro no podía hacer nada en absoluto —dijo la señora Weldon—. La razón es muy sencilla: el perro se paseaba arriba y abajo de la mesa, esperando que pronunciaran la palabra propuesta y se detenía; pero era debido a que oía el leve ruido que su dueño hacía haciendo crujir en el interior de su bolsillo, pero imperceptible para los demás lo que era audible para el fino oído del perro, que inmediatamente se detenía ante la letra, la cogía seguidamente, para llevarla al sitio convenido donde las otras, formando la palabra convenida viaje a viaje.

—Entonces, ¿era este todo el secreto de la aparente sabiduría del perro?

—Sí, Dick —respondió la señora Weldon, añadiendo—: Un sencillo y de gran efecto secreto que como en todos los de presdigitación son inteligentemente estudiados y llevados a la práctica con gran limpieza que contribuye a encubrir la habilidad y el misterio, tantas veces tan sencillo de grandes efectos. En ausencia de su dueño, Munito no habría sido capaz de realizar nada en absoluto. Es por esto que tanto me sorprende que sin estar su amo delante, Dingo haya sido capaz de distinguir una letra de las otras y separarla dos veces tan inteligentemente.

—Sí, es muy extraño lo que hace —convino el capitán—, muy singular tal comportamiento que obedece a alguna finalidad que no conseguimos averiguar, señora Weldon. Se trata sólo de dos letras, pero no elegidas caprichosamente, sino deliberadamente. Ya sabemos todos el caso de aquel perro que sabía llamar a la puerta de un convento para poder apoderarse de un plato de comida destinado a los pobres de solemnidad, y también de aquel otro que encargado con otros de su misma especie de dar vueltas a un asador cada dos días, se negaba a llevar a cabo su trabajo, cuando todavía no le había llegado su turno como correspondía. Es evidente que los dos perros llegaron mucho más lejos en su capacidad y práctica que el propio Dingo. Pero nosotros somos testigos del hecho, que es indiscutible. El perro sólo ha elegido dos letras, la "S" y la "V", mientras que a las demás parece desconocerlas totalmente. Por tanto, por algún motivo que nosotros desconocemos esas dos letras han llamado especialmente la atención del perro. ¿Por qué motivo? ¿A qué obedece la actitud del perro tan insistente a este respecto? Esto es lo que yo daría un dedo de una mano por saber.

—¡Oh, capitán Hull! —exclamó el joven grumete—. Es una pena que el pobre Dingo no disponga como nosotros el don maravilloso de la palabra hablada. Indudablemente, que entonces nos explicaría el motivo de la elección de esas dos letras y el porqué ha enseñado los dientes con la elección de esas dos letras y el porqué ha enseñado los dientes con la misma furia de siempre a nuestro cocinero portugués, ese hombre tan misterioso y reservado que conocemos sólo por el nombre de Negoro que fue el que nos dio. ¡Había qué ver cómo mostraba al cocinero los dientes!

—¡Y qué dientes los suyos! Nadie quisiera ser aprisionado entre su rastrillo de agudizados marfiles, amigos, ¡sin duda que no lo quisiera nadie en absoluto!

Capítulo VI

¡BALLENA A LA VISTA!

Comentando aquellos días la singular conducta de Dingo, exclamó una mañana el timonel humorísticamente refiriéndose a la extraordinaria viveza del can:

—Ese perro, amigos míos, algún día acabará preguntando dónde están popa y proa del barco y luego si el viento procede del este o del oestenoroeste, y, naturalmente, llegado este caso tan singular, no habrá más remedio que darle explicaciones al perro y hasta darle nociones de navegación...

Un marinero, que se hallaba presente, aseguró:

—Es cosa sabida de todo el mundo que hay animales habladores como son las cotorras y los papagayos. Y yo pregunto, ¿por qué un perro no puede hacer lo mismo si le place? Con fijarse como lo hacemos nosotros, con mucha atención y constancia, puede cualquier perro llegar a saber las cinco vocales. Dicen que hubo un perro que se detenía ante una fuente en los días más calurosos y pedía agua. Siempre parece que debe ser más difícil aprender a hablar con el pico como hacen los loros que con la boca como nosotros.

El contramaestre Howick apoyó en parte la opinión del marinero dando su parecer a los presentes:

—Desde luego que sí, pero, sin embargo, jamás, que yo

sepa, se ha visto cosa semejante a pesar de que se diga lo de los perros que piden agua, porque de pedir agua a pedir ron o "whisky" sólo va un paso. Y luego hasta pedirían salario a los circos.

Los presentes no pudieron por menos que reírse de la broma del contramaestre. Pero todo cuanto decimos no es más que para demostrar que desde el último suceso, el perro Dingo se había convertido y no sin motivos, en el principal personaje importante de la vida de a bordo. Por su parte, el primo Benedicto quien no parecía interesarse mucho por el perro, y pasaba indiferentemente de costumbre ante él expuso su opinión uno de aquellos días:

—Sea como sea, y en consecuencia de lo que ha sucedido, no se vaya a creer que los perros son los únicos animales dotados de una cierta inteligencia. Otros animales les igualan y hasta superan, amigos, aunque guiados solamente por el instinto. Tales son las ratas que abandonan el barco que está a punto de hundirse en el mar; también el castor sabe prever la crecida de las aguas y con antelación y sabia precaución levanta sus diques para resistir las avenidas líquidas que le aniquilarían. Por su parte, los caballos de Nicodemia, de Scandenberg y de Oppien, cuyo dolor fue tanto al fallecimiento de sus dueños que murieron también ellos. Asnos famosos, asnos notables de los que aún se guarda memoria gracias a cronistas de otros tiempos e ingeniosos fabulistas que los inmortalizaron, y tantas otras muchas bestias que rindieron honor a la animalidad de la Creación. ¿No se vieron pájaros maravillosamente domesticados que escriben con el pico las palabras que se les dictan sin cometer ninguna falta, así como también algunas cacatúas que cuentan tan bien como un calculador de las Oficinas de Longitudes el número de las personas que se hallan presentes en un salón? ¿Y qué decir de aquel papagayo por el que se pagaron más de cien dólares, y del que siendo su dueño un cardenal recitaba todo el Símbolo de los Apóstoles, sin equivocarse en una sola palabra? Por fin y como para constituir el legítimo orgullo de un entomólogo, los insectos dan muestras de una inteligencia superior siendo posible afirmar, con la elocuencia de un axioma, lo siguiente:

como ocurre con las hormigas, que rivalizan con los ediles de las grandes ciudades y posiblemente, en algunos casos, les superan en cuanto a probidad; también los arginoretas acuáticos, constructores de escafandros, sin que jamás hayan estudiado mecánica; las pulgas que conducen sus carrozas como verdaderos cocheros, realizan los ejercicios con tanta perfección como disciplinados soldados y disparan el cañón como hábiles artilleros de West Point. ¡Les aseguro, amigos, que nuestro Dingo no es merecedor de tanta celebridad como se le confiere y de preferencias especiales sobre otros animales y, si bien es cierto que se distingue por sus conocimientos alfabéticos, es sin duda porque pertenece a una especie de mastines, todavía no clasificada en la especie zoológica, al que con sentido del humor podríase llamar en adelante como el *canis alphabeticus* de Nueva Zelanda .

Sin duda alguna el entomólogo sentía pura envidia de las extraordinarias aptitudes de Dingo que le movía a desmerecerle, pero el perro seguía disfrutando de la estima de toda la tripulación y de la general admiración por sus innegables dotes, pues entre los marinos del *Pilgrim,* había por lo menos dos que eran analfabetos totales y no sabían hacer la "o" ni con un canuto.

El único que a bordo no compartía el común entusiasmo por el perro era el propio Negoro, el cocinero. En su fuero interno sin duda alguna maldecía de las pruebas de inteligencia que daba el can, ya que el perro continuaba demostrándole su preferencia para mostrarle los dientes y la acostumbrada animosidad contra el cocinero que cada vez menos frecuentemente seguía sin salir de la cocina para no darse de narices con el perro. Se diría que el cocinero le había ocasionado alguna mala jugarreta a Dingo y que éste todavía no la hubiese olvidado. Sabida es la memoria de muchos animales y particularmente de los perros.

Por su parte, Dick Sand había observado que desde el incidente de las dos letras, la hostilidad entre el hombre y el perro había ido en aumento de una manera inexplicable.

El bergantín goleta seguía navegando, pero el día 10 de febrero, el viento del nordeste que siempre había sucedido a las prolongadas y monótonas calmas en las que llegaba a inmovilizarse el *Pilgrim* sobre el mar como si éste fuese una balsa de aceite, comenzó a soplar sensiblemente. El capitán lo había esperado calculando que se realizaría un cambio en las corrientes atmosféricas y que posiblemente el bergantín marcharía en adelante viento en popa alejándose de lo que parecía en aquellas latitudes deslizarse tan lentamente como en una superficie gelatinosa. El bergantín llevaba diecinueve días de viaje desde su partida de Auckland. Ciertamente el retraso en el viaje no era muy importante y el *Pilgrim* bien dotado de velamen podría recuperar con poca suerte el tiempo perdido en la demora de aquellos días pasados. Pero precisaba aguardar todavía unas jornadas hasta que se produjeran las brisas tan deseadas procedentes del oeste.

En aquella zona, el Pacífico aparecía siempre desierto, sin la más remota esperanza de cruzarse con embarcación alguna. Era una área abandonada de los navegantes. Todavía los balleneros de los mares australes no se decidían a franquear el trópico. En la ruta del *Pilgrim,* al que especiales circunstancias habían impelido a abandonar las zonas de pesca, no era posible encontrar por allí a navío de ninguna clase. Ni tampoco correos transpacíficos los cuales no acostumbraban a seguir paralelos tan altos para sus cruceros entre Australia y el continente americano.

Sin embargo, aun siendo así, no por ello el vigía abandonaba su misión de escrutar la superficie del mar hasta donde era alcanzable. Una tarea muy fatigosa por monótona cuando no se espera ver nada más que agua. Sin embargo, para los habituados a mirar el mar, el espectáculo es de una variedad sorprendente. Para los experimentados se muestran a los ojos insospechados cambios, variaciones continuas que excitan la imaginación de aquellos que no están desposeídos totalmente del sentido de lo poético. A veces es simplemente una hierba marina que flota abandonada en las lejanas olas, otras una rama de sargazo cuya estela riza el oleaje, o bien un fragmento de madera cuya historia se desearía averiguar hasta el más insignificante de los pormenores. Ante el mar cambiante, el espíritu no puede detenerse en nada. Todo es motivo de suposiciones despegando la imaginación en los más sugestivos vuelos. Cada una de las moléculas de agua cuya evaporación se vuelve reversible entre el mar y el espacio, contiene quizás el vaticinio de alguna catástrofe que la Naturaleza está disponiendo. Causa y merecen admiración, la sabiduría de aquéllos cuya mirada sabe leer en los arcanos del océano. Y, por añadidura, todavía más cuando se advierte que la vida prosigue cambiante e incesante lo mismo en la superficie que en los abismos del océano.

Los pasajeros del *Pilgrim* podían contemplar el espectáculo que ofrecen la enconada y despiadada persecución de que son objeto los diminutos pececillos por las grandes bandadas de pájaros que escapan del insoportable clima del polo antes de que llegue el invierno.

En más de una ocasión el joven grumete, bien aleccionado anteriormente, había dado muestras de su infalible puntería con el fusil o con la pistola abatiendo de certeros disparos a aquellos raudos volátiles cazadores.

Entre la infinidad de petreles blancos y con las alas moteadas de oscuro, desfilaban también patrullas ligeras de los llamados pájaros diablos, o, distantes, aparecían pelotones de pingüinos cuyos andares en tierra suelen ser tan cómicos y a la vez tan graves. A pesar de su pesadez, los pingüinos como observaba el capitán Hull, al mostrarlos a la señora Weldon, utilizan solamente sus muñones para nadar y en cambio contrariamente de lo que se creyera, una vez en el agua pueden reñir competiciones de velocidad con los peces más rápidos, hasta tal punto que por dicho motivo, en algunas ocasiones, ha habido marinos expertos que les han confundido con bonitos.

En tanto, volaban, batiendo el aire, enormes alabastros dando tremendos aleteos con sus poderosas alas, desplegando hasta diez pies de envergadura, descendiendo para posarse sobre las aguas entre las que escarbaban hábil y certeramente con el pico buscando alimento como un campesino haría en tierra firme removiendo la tierra con la azada.

Tal variedad de escenas, por su interés, vivacidad, múltiple colorido e incesante movimiento eran más que bastantes para librar de toda monotonía a la mirada perdida, complaciendo el espíritu más árido.

Aquel día, cuando la señora Weldon se encontraba paseando por la popa del *Pilgrim* despertó su curiosidad una escena bastante singular. De súbito, las aguas del mar parecían haberse vuelto rojizas sin saber el motivo. Dick Sand se encontraba en aquellos momentos cerca de la señora Weldon en compañía del pequeño Jack.

—Mira, Dick, observa qué color rojizo han tomado las aguas del Pacífico... ¿será acaso debido a alguna hierba marina? ¿A qué se debe esta notable variación en el color del mar?

—No es debido a ninguna planta marina, señora Weldon. Se trata, simplemente, de millones de crustáceos que, por lo general, sirven de alimento a los grandes mamíferos marinos. Los pescadores llaman a eso, con sobrados motivos, *la comida de la ballena.*

—¿Crustáceos has dicho, Dick? Pues serán tan diminutos que mejor sería llamarlos insectos de mar. Seguramente que a mi primo Benedicto le encantaría adquirir uno para su coección...

Y, seguidamente, para complacerle llamó en voz alta:

—¡Primo Benedicto! ¡Benedicto! ¿Dónde estás? ¡Ven en seguida!

Apareció el primo Benedicto acompañado del capitán Hull.

La señora Weldon, visiblemente divertida por lo que le mostraba, exclamó alegremente:

—Primo, mira ese inmenso banco de color rojizo que se extiende en el mar hasta perderse de vista.

—¡Caramba! —dijo el capitán Hull—. ¡Es comida de ballena! Señor Benedicto, aquí tiene usted oportunidad de estudiar una curiosa especie de crustáceos marinos...

El entomólogo siseó desdeñosamente:

—¡Pse!

—¿Cómo es posible, señor? ¡Parece usted muy desdeñoso en su calidad de auténtico entomólogo!

—Es que yo no soy propiamente lo que se llama un entomólogo, señor capitán. Soy un hexapodista.

—Bien, admito que no le interesen estos crustáceos, pero su opinión sería muy distinta si tuviera usted el estómago de una ballena. ¡Qué banquete se daría usted entonces, señor Benedicto! Vea usted, señora Weldon, lo cierto es que cuando nosotros llegamos durante la estación de pesca a un banco de crustáceos, sólo nos queda el tiempo preciso para preparar los arpones y las sondalezas... ¡No queda la menor duda de que las ballenas no rondan muy lejos del paraje!

El pequeño Jack, con gran perplejidad e interés por lo que el capitán revelaba, preguntó con viva curiosidad:

—Pero, ¿cómo es posible, señor capitán, que animalitos tan diminutos sirvan para alimentar a otros tan grandes como son las ballenas y que sin duda deben necesitarlos a toneladas para saciar su hambre descomunal y llenar sus estómagos que deben ser como gigantescas grutas?

—¡No te asombres, Jack! ¡No es menos cierto que los granos de sémola, la harina así como también las diversas féculas, nos proporcionan exquisitos y alimentosos purés... Pues lo mismo que si la mano de la Providencia le hubiese servido una gigantesca sopa de nutritivo pescado, con la diferencia que así como tú la tomas con cuchara la ballena come dentro del mismo plato que es el mar. Millares de esos diminutos crustáceos entran en su boca, mediante las barbas de la ballena que se extienden como redes de pescador. Las barbas de la ballena están en su paladar, de modo que los crustáceos una vez entrados en la boca ya no pueden volver a salir porque las barbas hacen como de colador y se abisman en las profundidades del amplio estómago de la ballena, con la misma eficacia que el puré en el tuyo, cuando lo comes.

—Además, señorito Jack —observó sonriente Dick Sand—, la ballena ni siquiera pierde el tiempo mondando de su pellejo a los pequeños crustáceos como acostumbran las personas a hacer cuando comen langostinos.

—Por otra parte —añadió el capitán—, debo observar que cuando la ballena glotonamente está entregada a su festín, es mucho más fácil a los balleneros acercarse a ella porque la gula, lo mismo que a muchos humanos mortales, le ciega. Ese es de entre todos, el momento más oportuno para arponearla con eficacia antes de que se recobre y recele.

Súbitamente, en aquel preciso instante y como para corroborar las afirmaciones del capitán Hull, se dejó oír, procedente de la proa, a un marinero gritando vibrante y vigorosamente:

—¡Ballena a la vista! ¡Ballena a babor!

Al punto, como impelido por un oculto resorte, la figura del capitán Hull se irguió.

—¡Ballena a la vista! —gritó jubilosamente.

Impulsado por su firme y siempre despierto instinto de cazador, corrió precipitándose hacia el castillo del bergantín ballenero.

Tras él fueron la señora Weldon, Jack, Dick Sand y hasta el mismo primo Benedicto. Una vez en el castillo del *Pilgrim,* vieron que efectivamente, a una distancia de unas cuatro millas, un gran hervidero indicaba la presencia de la ballena que se movía en medio de aquellas aguas rojas. Un banquete que por nada desperdiciaría una ballena.

La distancia, sin embargo, era todavía demasiada para que se pudiera identificar sin error a qué especie pertenecía aquel mamífero.

¿Se trataba de una de esas ballenas que con preferencia buscan los balleneros de los mares del Norte? Gigantescos cetáceos a los que les falta la aleta dorsal, y cuya piel está recubierta de una espesa capa de grasa, alcanzando longitudes de hasta ochenta pies, aunque su longitud media no suele pasar de los sesenta pies, llegando a proporcionar monstruos marinos semejantes hasta la soberbia y respetable cantidad de un centenar de barriles de aceite?

¿O por el contrario era un *hump-back,* de la especie de los ballenópteros? Esta clase de mamíferos están provistos de aletas dorsales blancas que les cubren la mitad del cuerpo a semejanza de unas alas como si fueran ballenas voladoras. ¿O sería quizá un *finback*, llamado también "jubarte" que dispone de una aleta dorsal cuya longitud puede alcanzar a la de la ballena, propiamente dicha y reconocida como tal?

Estaba el mamífero marino demasiado alejado para que el capitán Hull y su tripulación pudieran concretarlo con certeza. Se limitaban a contemplar con admiración al magnífico animal sin desdeñar el deseo de capturarlo.

De la misma manera que un relojero no puede estar en un salón en presencia de un reloj de pared sin desear vivamente la irresistible necesidad de examinarlo, lo mismo le ocurre a un ballenero ante una ballena a la vista; el imperioso deseo de apoderarse de ella le domina y agita, observando todos sus movimientos y evoluciones como todo cazador que acecha a su próxima presa.

El capitán, por fin, dijo:

—Por lo que puedo precisar a su vista, creo que no se trata de una ballena propiamente dicha, amigos. En tal caso su surtidor sería más alto, y al mismo tiempo de inferior volumen. No creo equivocarme en calificar a esa ballena entre las llamadas *hump-back*. Sin embargo, aguzando el oído podría precisarse que el ruido de su surtidor es de una naturaleza distinta. ¿Qué te parece a ti, Dick?

—Diría que es una "jubarte", mi capitán .

—¡Eso es, muchacho! ¡Una "jubarte"! ¡Ya no hay duda posible, es una "jubarte" lo que flota en las aguas rojizas, amigos!

—¡Qué espectáculo más hermoso! —exclamó el pequeño Jack.

—¡Así es, Jack! ¡Casi es imposible que esté tan cerca y que unos balleneros la estén contemplando y que todavía no le han echado mano como a un pescadito!

—Se trata de una "jubarte" de gran tamaño, capitán —concretó, entonces, el joven grumete espoleando el instinto cazador del capitán del *Pilgrim*.

El capitán, apasionándose más y más, asintió:

—Sí, sí, Dick. Casi apostaría la mano que tiene unas sesenta pies de longitud.

—Con media docena de "jubartes" como esa sería más que bastante para llenar un barco como el nuestro. ¿No le parece, capitán? —dijo el jefe de la tripulación con viveza y cierta codicia.

—Sí, desde luego. Sería bastante. Ya lo creo que sí —dijo el capitán que se había subido al bauprés. El jefe de la tripulación prosiguió animándole:

—En pocas horas obtendríamos la mitad de los doscientos barriles de aceite que nos faltan. ¿no le parece, capitán, Hull?

—Sí, desde luego. Desde luego que sí... —murmuraba el capitán cada vez más entusiasmado pero sin demostrarlo.

—Sin embargo, algunas veces es una tarea muy trabajosa y dura —dijo Dick Sand. Y el capitán corroboró como mentalmente sin dejar de observar a la "jubarte":

—Sí, es verdad, una tarea muy ingrata. Muy dura. Sí... Estos ballenópteros tienen una cola terriblemente dura y hay que acercarse a ellas con cierto recelo y desconfianza siempre por lo peligrosos que resultan sus coletazos. Un certero golpe de la cola sería tan tremendo que no hay piragua que lo resistiera por fuerte y resistente que fuese su construcción. Saltaría en astillas por el aire con sus tripulantes. ¡Cierto también que el beneficio que proporciona uno de esos animales bien merece el riesgo que se corre!

Uno de los marineros quiso alejar con sus palabras el valor del peligro desdeñándolo:

—¡Bah, señor capitán! Una buena "jubarte" es una espléndida captura.

Y otro añadió a su vez:

—¡Y una valiosa captura muy provechosa para todos!

Y todavía otro dijo su parecer, pesarosamente:

—Sería una pena que no le diésemos nuestro saludo al pasar por su lado, señor capitán.

Pero el capitán Hull no despegaba los labios y se mordía los puños. La "jubarte" era como un poderoso imán que atrajera al *Pilgrim* hacia ella, con toda su tripulación.

Entonces, el pequeño Jack exclamó, dirigiéndose a su madre con entusiasmado candor:

—¡Mamá, mamá! ¡Me gustaría coger la ballena para saber cómo es de cerca!

El capitán Hull exclamó cediendo por fin a sus deseos:

—¿Quieres una ballena, muchacho? ¡Pues bien... la tendrás! ¿Y por qué no hemos de capturarla, amigos? Nos faltan los pescadores de complemento, pero no importa. También por nosotros mismos lo conseguiremos, ¿no es así, muchachos?

—¡Desde luego que sí, capitán! —exclamaron todos los marineros con entusiasmo.

—No será ésta la primera vez que yo haya actuado como arponero —gritó el capitán con entusiasmo contagioso. Y añadió—: ¡Manos a la obra! ¡A por la ballena! Ahora veréis, muchachos, si vuestro capitán sabe manejar el arpón!

—¡Hurra, por el capitán Hull! ¡Hurra! ¡Hurra! —gritó la tripulación entera con ardor y entusiasmo—. ¡A por la "jubarte", capitán! ¡Llenaremos el bergantín de barriles de aceite! ¡Hurra!

Capítulo VII

¡A LA CAZA DE LA BALLENA!

La ballena flotaba en medio de las aguas rojas y parecía enorme. El capitán Hull dio las órdenes oportunas para capturar la "jubarte". La señora Weldon, atemorizada, sugirió:

—Capitán, no deseo que corra usted peligro de ninguna clase por capturar a esa ballena. Desista si tiene que correr algún riesgo.

El capitán la tranquilizó:

—No padezca, señora Weldon. No hay menos peligro que suele haber de costumbre. No es la primera vez que me propongo pescar una ballena con una sola embarcación y en todas las ocasiones he conseguido capturarla. No hay, por tanto, peligro de ninguna clase ni para nosotros, ni tampoco para usted, señora. Tranquilícese.

Con total confianza en la experiencia del capitán, la señora Weldon no volvió a insistir. Sólo quedaba ver desenvolverse los acontecimientos.

No ignoraba el capitán Hull que la caza de la ballena siempre ofrece dificultades pero siempre había sabido vencerlas y salir con éxito de su propósito.

Lo que volvía más dificultosa la tarea, era que el capitán con los hombres de que disponía sólo podía servirse de una de

las tres lanchas de que disponía en el *Pilgrim*. El personal es
pecializado en la caza de la ballena, como se sabe, había de
sembarcado en cuanto avistaron tierra y en Auckland al capitán
Hull no le fue posible contratar ningún otro equipo, ya que
todos los otros balleneros se hallaban por aquellas fechas em
barcados. Sólo podía disponerse para la captura de la "jubar
te" de los pocos hombres que le quedaban a bordo y que com
pletaban la dotación de una sola de las lanchas. Una estaba
entre el palo de mesana y el palo mayor, y las otras dos lan
chas balleneras se encontraban suspendidas de unas grúas a
babor y estribor y la tercera en la popa, fuera del coronamiento.

Era poco el personal con que contaba el capitán y además
no quería dejar el navío sin que quedara en él un hombre de
total confianza. Así decidió:

—Tú te quedarás, Dick. Te encargarás del barco durante
mi ausencia que, creo, será corta.

El joven grumete respondió:

—A sus órdenes, señor.

La ballenera fue echada al agua. Su tripulación se compo
nía de cinco hombres, contando con el contramaestre Howick,
que eran todos los componentes de la tripulación del *Pilgrim*.
Los cuatro marineros se hicieron con los remos mientras que el
contramaestre manejaba el remo que sirve para gobernar esta
clase de embarcaciones. Un timonel ordinario no sería lo su
ficiente rápido para esta clase de maniobras como el remo-timón,
que bien manejado podía poner a la ballenera lejos del alcance
de los terribles y formidables aletazos de la ballena.

El capitán Hull se había reservado el puesto de arponero.
Primero debía arrojar el arpón, seguidamente vigilar el desarro
llo de la sondaleza, fija en una de sus extremidades y, por fin,
rematar a lanzadas al monstruo cuando volviese a flotar sobre
la superficie del océano.

En ciertas ocasiones, los balleneros usan armas de fuego
para esta clase de pesca. Por medio de una especie de cañón
colocado a veces en la borda del ballenero y en otras, en la
proa de la embarcación, se dispara el arpón que lleva consigo
la cuerda fija en su extremo, o bien balas explosivas que oca

sionan grandes destrozos en el cuerpo de la ballena, El *Pilgrim* no estaba provisto de tal clase de armas ni de los aparatos apropiados para la caza de este estilo que requiere de personal especializado. El personal ballenero perteneciente a la vieja escuela era refractario y desconfiaba de las innovaciones que posponían el valor personal a las nuevas técnicas más raras pero que con el tiempo iban a imponerse indudablemente y preterirían las técnicas primitivas del uso del arpón y la lanza que requerían habilidad y desmedido valor.

El capitán Hull, en aquella ocasión como en las anteriores, iba a emplear como medio el arma blanca, arponeando a la ballena y luego utilizando el manejo de la lanza para darle remate. La "jubarte" que iban a capturar estaba situada a unas cinco millas del *Pilgrim*. La tarea entrañaba su riesgo y dificultades que no ignoraba.

La ballenera de estribor había sido la habilitada para la caza.

En la proa de la embarcación habían sido dispuestos dos grandes dardos así como también cinco rollos de sondalezas o cuerda flexible muy resistente de una longitud de unos seiscientos pies, alcance no exagerado si se tiene en cuenta que, a veces, las ballenas se sumergen una vez arponeadas a grandes profundidades y, por tanto, la demanda de cuerda es muy grande. El bergantín goleta había sido puesto al pairo, es decir, sus vergas habían sido braceadas de forma que las velas, contrarrestando su acción, mantenían al bergantín casi estacionado. El capitán había dado una última ojeada a su navío, y había dicho al grumete antes de la partida:

—Hasta pronto, Dick, pero, dado el caso que nuestra ausencia se prolongara por alejamiento de la "jubarte" que nos obligara a seguirla, entonces, cuenta con la ayuda del negro Tom y de sus amigos que son lo bastante hábiles para ayudarte en las tareas del barco. Te bastará en tal caso que les indiques lo que sea para que lo hagan perfectamente.

El viejo había asentido a las palabras del capitán Hull, gustosamente:

—Descuide, capitán Hull. Obedeceremos al joven grumete

en su ausencia en lo que mande. Procuraremos en todo serle útil, señor.

—¡A sus órdenes, Dick Sand! —exclamó el negro Bat. Y el gigantesco Hércules, se ofreció a su vez:

—¡Mande usted, Dick! ¿Qué hay qué hacer?

Dick Sand, sonrió cordialmente a los negros, diciéndoles:

—Por ahora, nada, amigos.

El atlético negro asintió:

—Cuando usted mande, señor.

El capitán había dicho, antes de partir:

—Ocurra lo que ocurra, Dick, no pongas la embarcación a la mar ni abandones el navío.

—De acuerdo, señor. Cumpliré sus órdenes, capitán Hull.

—Caso de que se hiciera necesario, para que acudieras con el bergantín en nuestra ayuda, te haría la señal convenida colocando izado un pabellón en el extremo del botador de la lancha ballenera.

—Esté tranquilo —repuso el joven grumete con gravedad—. No quitaré el ojo de cuanto ocurra a la lancha.

—Conforme, muchacho. Desde este momento, a partir de mi partida, quedas como el segundo capitán a bordo. Debes mostrarte a la altura de tu categoría. No lo olvides. Nadie a tu joven edad ha ostentado hasta la fecha la responsabilidad de ser capitán de un bergantín goleta.

—Buena suerte, capitán Hull —le deseó la señora Weldon.

—Gracias, señora.

El pequeño Jack, graciosamente, deseó:

—Capitán Hull: ¡no le haga mucho daño a la ballena! ¡Es muy hermosa y merece mucho respeto!

—No te preocupes, Jack. La trataré como a una princesa.

—¡Cójala usted con cuidado, capitán y... súbala al barco! ¡Será muy divertido!

—Mis arpones son de seda, pequeño. Hasta luego.

—En algunas ocasiones —dijo el primo Benedicto— se encuentran insectos muy raros y dignos de estudio en el lomo de las ballenas.

—Descuide, señor Benedicto —había dicho el capitán Hull

con buen sentido del humor—, en cuanto la ballena esté en el *Pilgrim,* tendrá usted tiempo sobrado para espulgarla cuanto desee.

Fueron todos a la proa para no perder detalle de tan interesante como emocionante pesca.

La lancha ballenera ya se había alejado unos centenares de pies, navegando a impulsos de los cuatro remos que manejados diestramente la fue alejando cada vez más del *Pilgrim.* El capitán Hull iba de pie junto a la proa. Fue entonces cuando Dingo, que se había subido con las dos manos en la borda, emitió un lastimero ladrido quejumbroso y dolido que impresionó a todos los que estaban contemplando como la lancha alejándose del barco, proporcionalmente, se iba acercando más y más a la "jubarte".

Aquel ladrido ocasionó un escalofrío estremecedor a la señora Weldon que acalló al perro, recriminándole:

—¿Cómo es eso, Dingo? ¿Así despides a tus buenos amigos? ¡Ladra alegremente!

Callóse el perro, descansó de nuevo las patas en la cubierta y acercándose a la señora Weldon, cariñosamente la lamió las manos afectuosamente.

Tom, el negro, superticiosamente, murmuró observando al can que tenía una triste expresión en las pupilas:

—Mala cosa, mala cosa. ¡Dios santo! ¡No es cosa de buen agüero cuando los perros ladran lastimeramente en según qué circunstancias! ¡Mala cosa...!

De súbito, el perro irguióse todo él con premura enderezando las orejas con presteza y soltando un enfurecido aullido.

La señora Weldon volvióse con presteza alarmada por el ladrido del perro. Vio como Negoro, el cocinero, había salido de la cocina con el propósito de contemplar lo mismo que los demás la captura de la ballena.

Dingo se lanzó corriendo encolerizado al encuentro del cocinero.

Negoro, al verle, agarró con presteza un esquefe y se aprestó para la defensa.

El perro irguió más y más la cabeza y abriendo las fauces

se separó para atacarle. En aquel momento, Dick Sand le gritó con energía:

—¡Dingo! ¡Aquí! ¡Ven aquí en seguida, Dingo! ¡Pronto!

La señora Weldon trató de tranquilizar el perro. Dingo, se detuvo, gruñendo acudió poco a poco a quien le llamaba, acercándose al grumete.

El semblante de Negoro había palidecido intensamente. Sabía que el perro le odiaba y que llegada la ocasión se le enfrentaría retándole a una lucha a muerte. Dejó caer el esquefe y volvió a entrar en la cocina.

Dick Sand llamó al negro atlético y le recomendó:

—Voy a darle una orden que quiero que cumpla a rajatabla, Hércules.

—¡Mande usted, Dick! —se ofreció Hércules solícito y abiertamente.

Dick Sand. mandó:

—Quiero que, en adelante, vigile atentamente y sin perderle de vista a ese hombre.

—¿A Negoro, señor? ¿Al cocinero del *Pilgrim?*

—Sí, al cocinero —contestó Dick.

—Está bien, señor Dick. Le vigilaré.

—Sí. No le quite el ojo de encima, Hércules.

La señora Weldon y Dick Sand volvieron a centrar su atención en la lancha ballenera que iba al encuentro de la gigantesca "jubarte", batiendo las aguas con la rapidez de sus cuatro remos, diestramente manejados.

Se había distanciado tanto que no era más que una mancha sobre las olas del mar rojizo. Más allá, el surtidor que emitía la "jubarte", borboteaba incesantemente.

Había llegado el momento de la lucha de la ballena y los intrépidos hombres del mar.

Capítulo VIII

LA BALLENA ENFURECIDA

El capitán Hull maniobraba de tal forma que acercándose a la ballena en sentido inverso a la dirección del viento, ésta no advirtiera todavía la cercanía de los cazadores, evitando así que ni el menor ruido pudiese descubrirles a tiempo de que el monstruoso mamífero tuviera tiempo de aprestarse para la defensa.

Howick, en el remo-timón, cumplía las órdenes de maniobra que le gritaba el capitán Hull desde la proa esgrimiendo el arpón en su brazo derecho; movía la ballenera alrededor de la enorme mancha roja en cuyo dentro se hallaba la ballena dándose el festín de crustáceos diminutos. El jefe de la tripulación era un marino bregado en aquellas lides, dotado de gran sangre fría y de inalterable aplomo. No había que esperar ni temer de ninguna distracción.

—¡Vamos a tratar de coger por sorpresa a la ballena, Howick! ¡Debemos acercarnos hasta que esté a punto de ser arponeada certeramente!

—¡De acuerdo, capitán Hull!

Los remos estaban recubiertos de palletes, se movían silenciosos, cortando las olas sin ruido. Se iban aproximando cautamente al flanco del animal esperando la ocasión para orponearlo inesperadamente.

El capitán Hull mandó a los que bogaban:

—¡Cuidado, muchachos! ¡Poco a poco ahora con los remos! Me parece que la ballena nos ha advertido. ¡Mucho ojo!

Howick dijo recelosamente:

—Sí, capitán. Eso mismo creo. La "jubarte" ha notado algo. Vea como sopla con menos furia que antes. Está alertada. ¡Cuidado!

—¡Silencio! —mandó el capitán en voz baja.

Transcurrieron varios minutos. La "jubarte" estaba muy cerca. Se le acercaron por el flanco izquierdo sigilosamente mientras el jefe de la tripulación maniobraba con dominio y pericia, pero siempre evitando en lo posible estar al alcance de su formidable cola.

El capitán, en la proa de la ballenera, estaba plantado perniabierto empuñando el arpón dispuesto para cuando llegara el momento oportuno proponer el primer golpe. No cabía la menor duda de que debido a su gran experiencia y puntería, el arpón se hundiría certeramente en la gran masa de carne grasienta que flotaba sobre las aguas. Una de las cinco sondalezas estaba enrollada dentro de un balde y fuertemente amarrada al arpón, a la cual se irían anudando, sucesivamente, los otros rollos de cuerda, dado el caso de que la ballena se hundiera a demasiada profundidad, como a veces solía ocurrir. El capitán aprestándose para arrojar el arpón, preguntó a los demás:

—¿A punto, muchachos?

Howick aseguró el timón fuertemente entre sus recias y anchas manos, respondiendo:

—¡Sí, capitán!

—¡Pues atraca! ¡Atraca, Howick!

El jefe de la tripulación obedeció al momento, de tal forma que la ballenera llegó a situarse a tan sólo a unos diez piès de la "jubarte".

La ballena, en su inmovilidad, parecía dormida. Por lo general a las ballenas que se las sorprende dormidas se las caza mejor y en tales casos, casi siempre, el arponazo, suele ser mortal. Pero, el capitán, en aquella ocasión frunció el ceño, desconfiadamente, pensando:

—¡Sospecho que la pícara no está dormida! ¡Se ha dado cuenta de nuestra cercanía y está acechando! ¡Habrá que ir con mucho cuidado!

También era lo mismo lo que estaba pensando Howick, el jefe de la tripulación. Pero aquél no era momento para pensar sino de actuar y con la máxima rapidez y seguridad.

El capitán levantó el arpón agarrado por la parte media y lo balanceó varias veces, con el fin de asegurar el impulso y la puntería, clavando la vista en el lomo de la ballena. Pero, de súbito, se inmovilizó, gritando alarmado:

—¡Rápidos! ¡Atrás, muchachos! ¡Atrás!

Velozmente y todos a la vez, los marineros hicieron girar rápidamente la ballenera para alejarla lo antes posible del enorme cetáceo al mismo tiempo que se prevenían para librarse de algún inesperado coletazo del enorme cetáceo. Fue en aquel instante cuando el grito de alarma del capitán dejó entender claramente por qué la ballena permanecía tanto tiempo inmóvil sobre la superficie del mar.

—¡Cuidado! ¡Es un ballenato!

Y en el mismo instante el arpón había salido disparado. La ballena había sido alcanzada y se había inclinado sobre un costado permitendo descubrir un ballenato al que había estado amamantando en su inmovilidad.

Tal circunstancia iba a dificultar la caza de la "jubarte" y el capitán Hull no lo ignoraba. La ballena iba a luchar desesperadamente con toda su agresividad temible. Tan enfurecida por lo que se refería a su propia vida como por la defensa del ballenato al que estaba criando. Pero la ballena no se revolvió contra sus agresores, sino que, como suele ocurrir en muchas ocasiones parecidas, inmediatamente a pesar de estar herida, se sumergió rápidamente entre dos aguas seguidas del ballenato y comenzó a nadar vertiginosamente. El movimiento había permitido a los balleneros calibrar a la "jubarte". Se trataba de una ballena de grandes dimensiones. Medía, por lo menos, desde la cabeza a la cola unos ochenta pies. Su piel era de color amarillento con manchones más oscuros. A pesar de la reacción de la "jubarte" sería una lástima, llegado el caso, tener que abandonar la captura de una tan valiosa pieza. La ballenera iba a remolque de la ballena que nadaba entre dos aguas a gran velocidad, la sondaleza atada al arpón que la "jubarte" llevaba clavado en el lomo, tiraba de la lancha arrastrándola a gran velocidad, lo mismo que una flecha resbalando sobre la superficie de las olas.

El capitán Hull, firme en la proa, no quitaba el ojo de la posición de la ballena y mientras la lancha era remolcada a gran velocidad, repetía entre dientes:

—¡Atención, Howick! ¡No deje de vigilarla! ¡Cuidado con ella!

En tanto, la sondaleza se desarrollaba a gran velocidad. Era de temer que debido al continuado roce y el calor debido al frote, la cuerda, recalentada en exceso, terminara por quemarse. Pero el capitán había tenido la precaución de mojarla, llenando de agua el balde en que estaba arrollada. Fue amarrada la segunda sondaleza al extremo de la primera. Cinco minutos más tarde hubo que atar la tercera sondaleza que se hundió velozmente en las aguas. Parecía imposible que la "jubarte" no se detuviera. Posiblemente, el arpón no la había alcanzado en ninguna parte vital de sus organismos. Por añadidura, por la oblicua inclinación que tomaba la sondaleza parecía que el animal se sumergía más y más en las profundidades.

—¡Caramba! —gritó el capitán—. ¡Parece que la "jubarte" quiere llegar hasta el abismo del océano! ¡Y lo que es peor va a terminar con todas las sondalezas!

—¡Nos está alejando mucho del *Pilgrim*, señor! —gritó Howick. Pero el capitán respondió desde la proa:

—¡No importa! ¡La ballena, al fin, no tendrá más remedio que volver a la superficie!

Cuando después de haber anudado la cuarta y la quinta sondaleza, de pronto, la ballena pareció ceder.

—¡Ya se esta fatigando! —gritó el capitán con expresión de triunfo—. ¡Pronto volverá a remontar a la superficie!

Julio Verne

Se encontraban a más de cinco millas del *Pilgrim*.

Tal como había indicado a su partida a Dick Sand, el capitán Hull izó un pabellón en el extermo del botador, para que el bergantín se aproximara. Desde la ballenera vio como Dick Sand ayudado de Tom y sus cuatro compañeros comenzaba a armar las vergas para orientarlas en dirección al viento. El bergantín que había estado al pairo se ponía en movimiento. Sin embargo, sólo soplaba un poco de viento a intervalos de poca duración. Le iba a ser bastante difícil al bergantín dar alcance a la ballenera.

En tanto, la "jubarte" regresaba a la superficie para respirar, continuando con el arpón clavado en el lomo. El capitán Hull ordenó a los marineros que remasen más deprisa, con el único fin de dar alcance a la ballena y poco después estaban a escasa distancia de la "jubarte" que se recobraba de la larga carrera submarina. Dos de los remeros habían abandonado los remos y agarrado las largas lanzas con las que pensaban arremeter contra la presa tan codiciada.

—¡Muchachos! ¡Atención! ¡No hay que fallar! —gritó el capitán ardorosamente—. ¡Apuntad bien! ¿Listos, Howick?

—Listos —respondió el jefe de la tripulación que ya había dispuesto el timón para volver con rapidez la embarcación en caso de que la ballena, bruscamente se volviese contra ella. Entonces, el jefe de la tripulación advirtió:

—Una cosa me preocupa, capitán. No me explico como la bestia, después de haber escapado enfurecida esté ahora tan tranquila. ¡Cuidado, capitán Hull! ¡No nos confiemos!

—Sí, Howick. También a mí me escama, también.

—¡Cuidado, capitán Hull! ¡Mucho cuidado con ella!

—Sí pero sigamos adelante. ¡Pronto será nuestra! ¡Adelante!

La embarcación se acercaba más y más. Los marineros estaban armados de las largas lanzas para arremeter contra la ballena. La "jubarte" no hacía más que dar vueltas en todas direcciones desconcertando a los de la ballenera. De súbito, dio un coletazo y se alejó unos cuarenta pies. ¿Qué es lo que iba a hacer el terrible cetáceo?

—¡Cuidado, muchachos! —gritó entonces el capitán Hull, vivamente alarmado—. ¡Cuidado, la ballena está tomando fuerzas para arremeter contra nosotros! ¡Gobierna bien, Howick! ¡Atención! ¡Gobierna! ¡Pronto!

La ballena había dado súbitamente la vuelta enfrentándose a la ballenera disponiéndose a cargar sobre ella con toda su imponente mole. De repente, agitando el mar con sus poderosas aletas, salió disparada hacia adelante, en busca de la ligera embarcación ocupada por los bravos pescadores.

Howick que temía y esperaba aquel ataque maniobró con destreza y tal prontitud que aunque la ballena pasó cerca de la ballenera no consiguió alcanzarla. Entonces, audazmente el capitán Hull y los dos marineros le asestaron sendas lanzadas intentando dañarle alguno de los órganos más vitales.

La "jubarte" acusó las heridas. Se detuvo arrojando a enorme altura dos columnas de agua mezcladas con sangre, pero de nuevo, arremetió embistiendo a la embarcación dando grandes saltos que ofrecían un espectáculo espantoso. Sólo hombres del temple de aquellos que ocupaban la ballenera eran capeces de no sentirse intimidados por la temible apariencia del animal enfurecido y herido. Ninguno de ellos, a pesar de las extraordinarias circunstancias, perdía la serenidad.

Una vez más, Howick acertó a desviar la embarcación evitando el destructor abordaje de que les quería hacer objeto la gigantesca ballena.

Tres nuevas lanzadas certeramente dirigidas dieron en el lomo de la jubarte. Pero a su paso agitó el agua con tanta violencia que se levantó una gigantesca ola en la que la ballenera bailoteó como una frágil cáscara de nuez. Poco faltó para que la ligera embarcación volcara arrojando a sus tripulantes fuera de la borda. El agua casi llenó a medias la ballenera.

Con rapidez, los dos marineros comenzaron a vaciar el agua de la ballenera mediante el cubo en que habían guardado las sondalezas. La cuerda fue cortada casi al mismo tiempo por el capitán pues ya su servicio era inútil.

Pero, el giganteco cetáceo enfurecido por el dolor de las múltiples heridas ya no huía. La gravedad del arponazo y de las lanzadas estaba ocasionando una agonía que iba a ser horrible. Por tercera vez, se volvió "proa a proa" y arremetió enloquecidamente. La ballenera medio llena de agua no podía maniobrar con la misma facilidad de movimientos que las veces anteriores. ¿Cómo, pues, iba a evitar el choque que la amenazaba? No podría huir. La "jubarte" iba a alcanzarla fácilmente con sus terribles saltos. No quedaba otro remedio a los ocupantes de la ballenera que ofrecer la cara a su vez y aceptar el reto de la "jubarte" moribunda pero no por ello, menos terrible.

Capitán Hull decidió aceptar el combate.

La ballena arremetió furiosamente sobre la embarcación. No consiguió dar con ella, pero pasó tan cerca que derribó a Howick del banco que ocupaba en la barca. A causa de la oscilación las tres lanzadas resultaron fallidas. En esta ocasión, la ballena había sido ganadora en el encuentro.

La voz del capitán corrió virilmente en el interior de la ballenera llamando al jefe de la tripulación:

—¡Howick! ¡Howick!

El jefe de la tripulación se levantó firme como un soldado que hubiese caído de su caballo y respondió con presteza y seguridad combativa:

—¡Presente!

—¡Otro remo en el lugar del otro! —gritó el capitán Hull. Entonces, Howick se dio cuenta de que el remo a causa de la embestida de la ballena se había roto.

—¡Dispuesto! —respondió Howick.

En aquel instante se notó cierto movimiento bajo las aguas en que se movía la ballenera. De pronto apareció en la superficie el ballenato. Fue una sorpresa inesperada porque su aparición iba a dar a la lucha un cariz del todo imprevisto. La ballena al darse cuenta se lanzó en busca de su cría para protegerle. Avanzó furiosamente. El peligro y la inseguridad de los tripulantes de la ballenera iba en aumento. El capitán agitó repetidamente el botador en que había izado el pabellón intentando ser visto por el *Pilgrim*. Pero se encontraban muy separados del bergantín goleta, quizá demasiado. Las velas del *Pilgrim* ya habían sido orientadas y el viento había comenzado a henchirlas, pero soplaba con escasa fuerza. Por otra parte, arrojar una embarcación al mar y acudir en ayuda del capitán y de sus hombres, secundado Dick Sand por los cinco negros de a bordo, significaba una pérdida de tiempo irremediable. Además, el mismo capitán había ordenado al joven grumete que por ningún motivo abandonara el barco, ocurriese lo que ocurriese. Sin embargo, Dick Sand hizo desenganchar y poner en el agua llevándola a remolque, una de las lanchas, para que, llegado el caso, el capitán y sus hombres pudieran valerse de ella, si les fuese útil como refugio.

De nuevo la "jubarte" protegiendo con su cuerpo malherido al ballenato, volvía a la carga arremetiendo con renovado brío. En esta ocasión, la ballena avanzó de tal forma que a la embarcación no le iba a ser posible en forma alguna eludir el choque terrible. El capitán tuvo todavía tiempo de gritar por última vez al jefe de la tripulación:

—¡Ahí viene sobre nosotros, Howick. ¡Atención!

Pero el jefe de la tripulación no podía valerse para la maniobra debidamente, el remo-timón había sido roto y sólo disponía de un remo que más bien era corto para efectuar toda la fuerza de un brazo de palanca. En vano trató de trazar un rápido viraje. Los marineros desorbitando los ojos vieron en una fracción de segundo que estaban irremediablemente perdidos. ¡Era el fin! ¡La "jubarte" iba a salir vencedora en su agonía en aquel torneo a muerte! Todos se pusieron en pie a la vez, parecieron crecer en la pequeña ballenera. Lanzaron un horrible grito de pavor que, acaso, fuera oído hasta en el mismo *Pilgrim*.

La ballena lanzando un terrible coletazo había alcanzado a la embarcación por debajo disparándola por los aires. La ballenera salió proyectada en el espacio con un ímpetu irresistible. Volvió a caer, pero rota a pedazos, astillada, en medio de las olas que entrechocaban con furor agitadas por los saltos de la ballena moribunda.

Los desventurados marineros estaban gravemente heridos y quedaron desperdigados a poca distancia unos de otros entre las convulsas aguas revueltas y rojizas. Quizá todavía habrían podido resistir un tiempo, bien nadando o agarrándose a algunas de las tablas de la descompuesta y destrozada ballenera. Esto fue lo que hizo el capitán Hull que ayudó a Howick a sostenerse en una de las maderas flotantes.

Sin embargo, la "jubarte" en la locura de su furor, herida mortalmente y quizá entre las terribles convulsiones de sus últimos estertores agónicos, rebrincó en el agua agitada toda su gigantesca mole. Se retorció y de súbito, agitó de un modo formidable la cola asestando un terrible coletazo final en las turbias aguas en las que nadaban o se sostenían a duras penas aquellos desventurados.

Por unos minutos sólo se vio una tromba líquida esparciendo agua en todas direcciones. Después, cuando Dick Sand que, seguido de los cinco negros, se había precipitado a la canoa para correr en auxilio de sus amigos y llegó un cuarto de hora después en el líquido escenario donde había ocurrido la tragedia, todo ser viviente había desaparecido.

En la superficie del agua enrojecida por la sangre, sólo quedaban los maderos flotantes de lo que había sido la ballenera del valeroso capitán Hull y sus acompañantes. Todos habían desaparecido tragados por las profundidades. Su tumba había sido el mar.

Capítulo IX

CAPITAN A LOS QUINCE AÑOS

El horror y la compasión más ilimitados fueron las primeras impresiones que sufrieron los testigos de aquella tragedia que habían contemplado desde la cubierta del *Pilgrim,* abocados en la borda.

Todos pensaban en la terrible muerte del capitán Hull y sus marineros que componían toda la tripulación. La tragedia casi había ocurrido ante los mismos ojos de los que quedaban en el barco sin que ninguno de ellos le fuese posible intervenir en ayuda de aquellos desdichados. El valeroso y noble capitán Hull con toda su honrosa tripulación había perecido en su lucha con el mar.

Cuando el bergantín goleta llegó al punto donde el siniestro había sucedido, la señora Weldon se posó de rodillas en la cubierta y rezó silenciosamente acompañada del pequeño Jack que, llorando, oró a su lado por las almas de los amigos que habían perdido.

—¡Oremos, hijo mío! —había dicho la piadosa mujer profundamente dolida por la muerte de aquellos valerosos hombres. Dick Sand, la criada Nan, el viejo Tom y sus compañeros de color se arrodillaron junto a la dama y elevaron sus plegarias por los que habían perecido de modo tan cruel. Repitieron todos la oración pronunciada por la señora Weldon. Cuando hubieron terminado, la señora Weldon dijo a los demás:

—Ahora, amigos, preciso se hace que roguemos al Señor para que nos facilite fuerzas y valor bastantes para poder valernos por nosotros mismos en el resto del viaje que nos espera.

La buena señora estaba atendida de sobradas razones en su ruego. El bergantín goleta había perdido además de su tripulación al capitán que lo comandaba. El barco ni tenía tripulación ni capitán que lo dirigiese. Se hallaba en medio del océano Pacífico, a centenares de millas de la tierra, entregados al libre antojo de los vientos y de las olas y expuestos a todos los peligros propios de una situación sin precedentes probablemente. ¿Qué iba a ser de un barco ballenero que sólo contaba con cinco negros campesinos, un cocinero portugués, una señora y un niño todos ellos bajo la dirección del único miembro superviviente de la tripulación que no contaba más que quince años y cuyos conocimientos se cifraban en la sola experiencia marinera y los conocimientos de de un joven grumete? ¿Por qué la fatalidad había jugado tan mala baza para ellos? ¡No quedaba un solo marino a bordo del *Pilgrim*!

¡Sí realmente quedaba uno! ¡Dick Sand, quien no era más, por otra parte, que un grumete! Capitán, contramaestre, timonel y marinería podía asegurarse que en tan críticas circunstancias se resumían en una sola persona! ¡Un caso excepcional en toda la historia de la marina ballenera! También a bordo se encontraba una dama, acompañada de su hijo, un niño de corta edad a quien también la situación que el destino había deparado iba a ofrecer un sinnúmero de peligros y contrariedades. Además cinco negros, buenos, serviciales, honrados y valerosos sin duda alguna pero todos ellos desprovistos de las más leves nociones que requiere un marinero para ser propiamente tal.

Dick Sand permanecía inmóvil en la borda mirando la inmensidad del océano, las aguas rojizas donde poco antes había muerto su maestro, protector y amigo, el capitán Hull, a quien amaba con cariño filial. En vano podía esperar ver aparecer en el horizonte la señal de una vela a la que solicitar ayuda, una embarcación a la que poder confiar la seguridad y la vida de la señora Weldon, su hijo y la personas del primo Benedicto que concentrado, por primera vez desde el comienzo del viaje, permanecía con triste semblante, impresionado por la desgracia ocurrida. Todo era cielo y agua alrededor del *Pilgrim*.

En aquel instante apareció Negoro en el puente que había abandonado instantes después de la tragedia. Nadie podría imaginar lo que aquel hombre tan enigmático había experimentado en su fuero interno al ocurrir el dramático e irreparable suceso. Su rostro proseguía imperturbable sin reflejar emoción o pensamiento alguno. ¿Qué ideas se anidaban en su mente y de qué calidad eran?

Negoro avanzó hasta llegar a unos tres pasos de donde estaba Dick Sand. Este le preguntó:

—¿Desea usted, hablarme?

—Quiero hablar con el capitán Hull o en su defecto con el contramaestre Howick.

—¿Por qué dice tal cosa? ¡Sabe que no ha mucho que ambos perecieron!

—Siendo así, quiero saber quién manda ahora en el ballenero.

Dick Sand respondió sin vacilación alguna:

—¡Yo! ¡Yo soy el capitán del *Pilgrim*!

Negoro le miró con la misma frialdad sin inmutarse. Respondió, encogiéndose de hombros:

—¿Usted? ¡Bah...! ¡Un capitán de quince años!

—¡Así es, cocinero! ¡Un capitán de quince años es quien ahora manda el barco! ¡Pero lo manda! —y avanzó con paso firme y muy resuelto hacia el cocinero. En aquel momento intervino la señora Weldon ratificando las palabras del joven grumete con total energía:

—¡Y no lo eche en saco roto! Ya no hay más capitán aquí que... el capitán Sand! ¡Nadie se dé a engaño ni error de ninguna clase: él es el nuevo capitán y se hará obedecer de buena voluntad o por disciplina!

Negoro se inclinó y se marchó de nuevo a la cocina murmurando algo con ironía que nadie pudo entender.

El bergantín bajo la acción de la brisa que comenzaba a

soplar, se había alejado de las aguas rojas que formaban el banco de crustáceos. La tumba de los marineros y el capitán Hull quedaba atrás para siempre.

El capitán Sand comenzó a examinar el estado del velamen. La realidad se imponía a todos. Era preciso dar todas las muestras necesarias de energía para prepararse a la lucha por la vida en el combate que contra los elementos de la naturaleza confinados en el mar tendrían que vencer.

Aunque era bastante capaz de cambiar o establecer el velamen según cada circunstancia, le faltaban, al joven muchacho, los conocimientos necesarios para poder determinar matemáticamente el lugar exacto donde se encontraba el barco ballenero.

Pero no perdió el ánimo.

Le bastaba, sólo por cálculo, teniendo en cuenta la distancia recorrida por el *Pilgrim,* con la corredera levantada a compás y corregida con la deriva, podía comprobar únicamente cuál era su camino.

La señora Weldon le animaba:

—No te desanimes, Dick. Tú salvarás el *Pilgrim* y a cuantos vamos en él. ¡Animo, muchacho! ¡Animo!

—¡Sí, señora Weldon! ¡Lo conseguiré, Dios mediante!

—El viejo Tom y sus compañeros son buenas personas. Ellos te ayudarán y puedes confiar en su buena voluntad para secundarte en lo que mandes.

El joven capitán contestó con firmeza:

—Haré de ellos buenos marineros y maniobraremos juntos, señora Weldon. Todo será fácil si el tiempo bonancible nos ayuda. Pero por si por desgracia el tiempo se pone en contra... ¡lucharemos lo mismo y también nos salvaremos, señora! ¡Nos salvaremos todos. Usted, su hijo, el primo Benedicto y toda la tripulación! ¡No lo dude! ¡Con la ayuda de la Providencia, naturalmente!

—Está bien, Dick. Dime: ¿puede saberse ahora cuál es la situación del *Pilgrim*?

—Desde luego, señora. Bastará con echar una ojeada al mapa donde el capitán dejó ayer el punto de la situación del bergantín, marcado.

—¿Y sabrás colocar el navío en buena dirección, como hubiese hecho el capitán?

—Sí, señora. Pondré proa hacia el este, en dirección al punto del litoral americano, al cual nos dirigimos y arribaremos.

—Pero ahora, Dick, ya no se trata de llegar a Valparaíso —dijo la señora Weldon—. En la actual situación el punto de destino debe ser el punto que se encuentre más cercano al *Pilgrim*, ¿no te parece, Dick?

—Desde luego, señora Weldon. No se preocupe. La costa americana, que se extiende hacia el sur la alcanzaremos.

—¿Hacia dónde está situada?

—En aquella dirección —dijo el joven capitán señalando hacia el este.

—Bien, Dick. Lo que importa es alcanzar tierra, no importa el punto que sea.

Era, en efecto, lo primero que debía hacerse. Dick Sand fue a la habitación que fue del capitán Hull y sacó el mapa. Lo mostró a la señora Weldon, indicándole concretamente que el bergantín se encontraba entre los 43º 35" de latitud y los 160º 13' de longitud, pues podía asegurarse que durante las últimas veinticuatro horas, debido a la intensa calma reinante apenas se había movido del mismo punto. La señora Weldon se inclinó sobre el mapa. Al contemplar aquel mapa que se extendía ante sus ojos con mares, islas y continentes, no podía por menos que pensar que sería cosa fácil repatriar a los pasajeros del bergantín goleta. Sin embargo, es una ilusión que siempre suele hacerse quien no está familiarizado con las escalas a que están ajustadas las cartas marinas. Como consecuencia de la vista del mapa, a la señora Weldon le parecía que la tierra debía estar a la vista de un momento a otro.

Pero, singularmente, el *Pilgrim,* reducido a sus justas medidas en relación a la escala real del mapa, no podía aparecer sobre la carta representado más que como un punto microscópico en la vastedad del océano.

Había llegado el momento de la acción. Preciso se hacía aprovechar la brisa que comenzaba a soplar del noroeste. El viento contrario había cedido al favorable y las nubes extendidas por el cenit en forma de cirros indicaban claramente que aquella nueva situación era aprovechable, iba a durar bastante.

El joven capitán reunió a Tom y a sus compañeros, y les dijo:

—Amigos, nuestro barco ya no tiene otra tripulación que la que nosotros mismos formamos. Nuestra situación, por tanto, no puede ser más delicada, habida cuenta de que viaja en el mismo barco una señora y un niño. Esto aumenta nuestra responsabilidad en el cometido. Ustedes no son marinos pero tienen buenos brazos y me consta que también esforzado corazón. Si se ponen al servicio del *Pilgrim,* podremos conducirlo a buen puerto, Dios mediante. De la buena armonía entre todos los que viajamos en él depende nuestra salvación y feliz término del viaje. ¿Cuál es la respuesta de ustedes?

Tom respondió por los otros cuatro que le acompañaban:

—Señor Sand, puede contar conmigo, así como también con mis cuatro compañeros. Desde este instante seremos sus marineros. Usted puede mandar y nosotros le obedeceremos prestamente con la mayor voluntad. Todo cuanto otros hombres puedan hacer, haremos nosotros. Ya lo sabe. Esta es nuestra contestación.

La señora Weldon visiblemente complacida por la actitud adoptada por los hombres de color, felicitó a Tom:

Dick Sand indicó entonces:

—Conforme, Tom. Tomaré un descanso de algunas horas para reponerme y luego le enseñaré como se gobierna para que pueda sustituirme en las horas de descanso obligado por el sueño. Lo aprenderá fácilmente con la ayuda de la brújula. Con la atención debida, aprenderá muy pronto a mantener el navío con la proa enfilada en buena dirección. Yo se lo enseñaré, Tom.

—Cuando usted lo mande, señor —respondió el negro.

—Va a quedarse usted aquí, a mi lado, junto a la barra, durante todo lo que queda del día, y cuando la fatiga pueda conmigo entonces me sustituirá por algunas horas.

Entonces intervino el pequeño Jack, preguntando ingenuamente:

—¿Y yo no podré ser útil en algo, Dick Sand?

La señora Weldon contestó:

—Desde luego que sí, hijo mío. También tú aprenderás a gobernar el barco y estamos seguros de que mientras tú estés en la barra, nos acompañará viento favorable.

El niño se mostró muy contento. Exclamaba:

—¡Es verdad, mamá! ¡Verás que bien marcha el barco! ¡Verás!

En aquel momento, Dick Sand mandó al grupo de negros:

—¡Amigos, vamos a izar las velas... ¿Dispuestos?

—¡A sus órdenes, capitán! —contestó resueltamente Tom.

Al punto los improvisados marineros se aprestaron para obedecer al joven comandante del bergantín goleta. ¡Un capitán de quince años!

Capítulo X

LOS TRABAJOS Y LOS DIAS

La única esperanza existente para los pasajeros estribaba en alcanzar el primer puerto de mar, cualquiera que fuese con tal de tocar tierra.

El viento había cambiado y soplaba del noroeste, pero con tendencia a ceder. Era necesario, por tanto, sacar el máximo partido posible.

Convenía reconocer la dirección y la velocidad a diario del *Pilgrim,* pero esto no le era difícil debido que contaba con la corredera y la brújula para establecer un término medio. Lo más delicado eran las corrientes. Para cambiarlas no bastaba con el cálculo, ya que solamente un perfecto conocimiento astronómico permitían un exacto determinación de aquéllas. Por tanto, el joven grumete, todavía sin la necesaria preparación, no podía hacer dichas observaciones.

En el bergantín goleta, el mástil de mesana llevaba cuatro velas cuadradas; la mesana en la parte más baja del mástil; por encima la gavia; luego, en los masteleros del juanete, un papagayo y también una cacatúa.

La nave estaba en marcha. La señora Weldon estrechó la mano del joven grumete, deseando:

—¡Adelante, Sand! ¡Adelante!

La vida a bordo, había reanudado su ritmo habitual. Dick Sand se multiplicaba para todo cuanto fuese preciso. Le obedecían los negros con perfecta docilidad. El orden reinaba en el *Pilgrim* que navegaba viento en popa a toda vela.

Su sólida arboladura y su aparejo de hierro le habrían permitido, llegado el caso, soportar una brisa más poderosa. Todo marchaba perfectamente hasta que durante la noche del 12 al 13 de febrero ocurrió un incidente tan lamentable como de graves consecuencias posteriores. La brújula invertida que estaba fija mediante una virola de cobre al barrotín del camarote, desprendiéndose cayó en el pavimento. Lo ocurrido no fue advertido hasta el día siguiente. Era una nueva contrariedad que iba a aumentar las dificultades de navegación. En adelante, Dick Sand sólo podría valerse para toda clase de medidas sólo con el compás de la bitácora. Nadie era responsable de la rotura de la segunda brújula, aunque ello podría derivar en enojosas consecuencias.

Todos los días, Dick Sand mostraba a la señora Weldon el mapa extendido y le indicaba la ruta que seguían. Por su parte siempre escuchaba los consejos que le daba aquella mujer inteligente y valerosa. Deducía el camino recorrido por mediación del cálculo y teniendo en cuenta sólo la dirección y la velocidad del bergantín goleta.

Aquellos parajes marítimos eran de una total soledad por lo que no era de esperar abordaje alguno por parte de otra nave, sin embargo, el grumete exigía la más estricta vigilancia durante la noche. El bergantín navegaba siempre de noche, llevando encendidas las luces de posición luz verde a estribor y roja a babor. En aquellas noches en que Dick las pasaba junto a la barra, le acometía la fatiga. Gobernaba entonces, por puro instinto. La noche del 13 al 14 de febrero no pudiendo resistir tanto cansancio se vio precisado a tomar un descanso, reemplazándole en la barra el viejo Tom. Dick Sand se fue a descansar un poco.

El espacio aparecía totalmente cubierto de nubarrones que se habían disgregado al anochecer, empujados por el aire más frío. Estaba todo cubierto de tinieblas siendo imposible en tales circunstancias distinguir las velas altas, que desaparecían en la oscuridad densa de la noche. En aquellos momentos, Hércules y Acteón montaban la guardia en el castillo de proa.

A popa, la claridad de la bitácora se extendía en un débil esplendor difuminado que daba un brillo tenue a la guarnición metálica del timón. Los faroles dispersando lateralmente sus luces, dejaban el puente del bergantín sumergidos en una completa oscuridad.

Eran aproximadamente las tres de la mañana cuando el viejo Tom que seguía en la barra, de repente notó que se apoderaba de su ser una especie de profunda somnolencia y poco a poco, quedaba sumido en un extraño sopor que invalidaba totalmente sus sentidos. Fue precisamente en aquel instante cuando se deslizó por la cubierta la sombra cautelosa de un hombre cruzando el puente.

Aquel hombre era Negoro.

Así llegó a la bitácora, el cocinero colocó debajo un objeto que debía ser bastante pesado y que hasta entonces había llevado en la mano.

Precavidamente, después de haber observado la esfera luminosa de la brújula, desapareció sin haber sido descubierto en su misteriosa maniobra.

Se trataba de un trozo de hierro imantado cuyo poder magnético alteraba las indicaciones del compás, con lo que la aguja de marear quedaba desviada notablemente y, en lugar de indicar el norte magnético, señalaba al nordeste. Causaba una desviación equivalente a un cuarto de cuadrante, o concretado de distinta forma, de medio ángulo recto.

Poco tiempo después, Tom se recobró de su sopor. Cuando miró de nuevo hacia el compás, consideró que el *Pilgrim* había alterado mucho su dirección anterior. En consecuencia movió la barra con el sólo objeto de enfilar la proa del barco hacia el este. Ignorando lo que había ocurrido y de qué forma había sido alterada la aguja de marear, el buen hombre corrigió el rumbo, desviándolo sin saberlo. Así la proa fue desviada un cuarto de cuadrante del rumbo verdadero que debía seguir, dirigiéndose el navío hacia el sudoeste, sufriendo en su orientación y bajo el impulso de viento favorable, una desviación de cuarenta y cinco grados.

Nadie sospechaba la maniobra que el cocinero Negoro había llevado a cabo y el bergantín goleta seguía navegando. Tres días después, la señora Weldon le preguntó a Dick Sand con curiosidad e interés al mismo tiempo:

—¿Y bien, Dick? ¿Cuál es el punto de la costa al que llegaremos según tus cálculos?

—Este es el lugar, señora —repuso Dick Sand monstrándolo sobre el mapa. Indicaba el cordón litoral que se extiende desde el Perú a Chile—. Aquí está la famosa isla de Pascua, que hemos dejado en dirección hacia el oeste. La dirección constante del viento que nos ha sido favorable en estos últimos días, me hace estimar que pronto encontraremos tierra hacia al este. Los puertos de escala son bastante numerosos en esta costa.

—¿Y en cuál nos detendremos?

Dick Sand, respondió:

—Todavía no puedo precisarlo, señora Weldon.

—No importa, Dick. Sea el que sea dicho puerto siempre será bien acogido.

—Cierto, señora Weldon. Y no le faltarán medios para regresar pronto a San Francisco. La Compañía de Navegación del Pacífico mantiene un servicio regular y además, muy bien organizado a lo largo del litoral. Nada le será a usted tan fácil como adquirir un pasaje para California.

—Siendo así, como dices, esto indica que no entra en tus planes conducir el *Pilgrim* hasta San Francisco. ¿No es así?

—Desde luego que sí, señora Weldon. Pero será después que usted haya desembarcado. Dado el caso de que podamos hallar un oficial y tripulación, iremos hasta Valparaíso para descargar nuestro cargamento de aceite de ballena, como habría hecho el propio capitán Hull. Después regresaremos a nuestro puerto de orígen. Como puede usted comprender todas estas diligencias retrasarían mucho a usted y a su hijo y, aunque me entristece mucho separarme de ustedes, creo que la mejor solución es la que le he propuesto.

—Conforme, Dick. Pero dejaremos para más adelante lo que sea mejor. Y ahora otra pregunta: ¿Temes los peligros que presenta la tierra?

—Sí, señora. Pero espero que antes de llegar encontremos a algún navío que nos dé las suficientes indicaciones sobre nuestra exacta situación, cuyos datos concretos nos facilitaría mucho la delicada tarea de acercarnos a tierra.

—Sin duda, debe haber pilotos que hagan el servicio de esa costa hacia la que nos dirigimos, ¿no es así, Dick?

—Así lo supongo también, señora. Pero de haberlos sólo daremos con ellos cuando nos encontremos mucho más cerca de tierra.

—¿Y de no encontrarlos?

—Dadas dichas circunstancias, señora, espero que el cielo sea claro, bueno el tiempo, manejable el viento e intentaré remontar la costa desde muy cerca de la misma para encontrar en ella un seguro y acogedor refugio natural, o de lo contrario arreciará el viento y nuestra situación...

—¿Qué es lo que harás en este último caso, Dick?

—Si en tales condiciones el *Pilgrim* se ve como digo, me temo que sea muy difícil ponerlo en buenas condiciones y no tendré otro remedio que aproximar el bergantín a la costa. pero ¡quiera Dios que no nos veamos obligados a tal extremo, señora! Por fortuna el aspecto del cielo da motivos para buenas esperanzas y, con los días es posible que, por último, nos encontremos con otro barco o un batel-piloto. Nuestra dirección es en busca de la tierra y confío en que no tardaremos mucho en divisarla, señora Weldon.

Era aquel día el 5 de abril y en consecuencia hacía ya más de dos meses que el bajel había abandonado Nueva Zelanda. Anteriormente durante veinte largos días, el viento contrario había aminorado su marcha, pero después, se había hallado con vientos favorables que le habían impulsado positivamente hacia tierra. Durante este último período su velocidad había sido muy notable. Los cálculos de Dick establecían que la velocidad media había sido de unas doscientas millas diarias. ¿Cómo explicarse el hecho incomprensible de que no había alcanzado todavía la costa? ¿Acaso la tierra escapaba delante del bergantín goleta? ¿Qué era lo que estaba ocurriendo en la dirección y rumbo del ballenero que resultaba del todo incomprensible e inexplicable?

Pero la tierra no aparecía, a pesar de que uno de los negros estaba constantemente de vigilancia en las barras. También Dick Sand se subía a ellas con mucha frecuencia. Con el anteojo aplicado a la vista escrutaba la lejanía del mar, intentando en vano descubrir algo que recordara el aspecto de los montes o el espinazo de alguna azulada y difuminada cordillera a causa de la distancia. La cordillera de los Andes es de gran elevación y debido a su gran altura era de esperar que emergiera en las grises lejanías alguno de sus soberbios picos, entre las vaporosos cendales del horizonte afirmando toda esperanza.

Sin embargo, ¡por fin!, el día 6 de abril ya no hubo posibilidad de engaño. Entre las brumas a los primeros rayos del sol, despejándose el horizonte apareció la anhelada tierra. De los labios de Dick Sand brotó un grito de alegría, chillando a todos los vientos von entusiasmo:

—¡Tierra a la vista! ¡Tierra! ¡Tierra…!

Aquellas voces tuvieron la eficacia de congregar a toda la tripulación así como también a los pasajeros en la cubierta. Corrieron desde el pequeño Jack hasta su madre; ladró el perro Dingo, y manoteó de contento el primo Benedicto mientras los negros levantaban sus poderosos brazos en acción de gracias al cielo. La señora Weldon abrazaba llena de contento a su hijito. El único que no apareció en la cubierta fue Negoro. ¿Por qué?

A una distancia escasa de unas cuatro millas hacia el este, se iba perfilando y concretando al mismo tiempo una cosa baja, que al menos así lo parecía. Detrás se alzaban, dominándola, las faldas de una imponente cordillera de montañas que formaban los Andes, pero las nubes de las alturas no permitían distinguir con precisión las elevadas cumbres.

El ballenero corría casi como deslizándose con gran rapidez empujado por el viento favorable en dirección al litoral que se mostraba extendido a lo largo de cuanto la vista alcanzaba.

Dos horas más tarde, sólo quedaban que recorrer unas tres millas. Fue entonces, cuando Dick Sand reconoció una especie de ensenada de reducidas proporciones y la eligió para dirigirse hacia ella y buscar refugio en su protección. Sin embargo, antes de alcanzarla había que sortear una serie de peligrosos arrecifes de difícil acceso. La fuerte resaca indicaba a las claras que faltaba el agua en todas partes.

De pronto Dingo, que se paseaba sobre cubierta, se lanzó hacia la proa y contemplando la tierra hacia donde el bergantín enfocaba su proa, empezó a dar lastimeros ladridos, lo mismo que si el perro reconociera aquella tierra hacia la cual se dirigía el bergantín goleta.

Entonces, a su vez, salió impulsado del interior de su camarote el cocinero Negoro, lo mismo que si aquellos ladridos del perro le impresionaran profundamente y no pudiendo resistir por más tiempo una oculta avidez, le moviera ésta a correr también hacia la borda en la que se abocó contemplando misteriosamente aquellas tierras que se extendían a lo largo de la línea que formaba el litoral. Afortunadamente para él, Dingo que se hallaba bajo los efectos de una fuerte emoción no se dio cuenta de la aparición del cocinero en la cubierta. A Negoro aquella brava resaca no parecía atemorizarle en absoluto. La señora Weldon que le estaba observando sin que él lo sospechara creyó notar que el semblante del cocinero enrojecía y que por una fracción de segundo contraía las facciones. ¿Cuál era el misterio que celosamente guardaba aquel hombre impasible e inescrutable? ¿Conocía acaso las tierras aquellas a las que el *Pilgrim* se dirigía? ¿Las había pisado anteriormente en alguna otra ocasión y por qué motivo? Eran todas estas preguntas difíciles de contestar y cuyo secreto sólo sabía el mismo Negoro y quizá el perro que no podía hablar.

Fue entonces cuando Dick Sand confió la barra a Tom. Contempló la ensenada que se abría poco a poco ante sus ojos. Después, mandó con voz entera:

—¡Señora Weldon, antes de media hora, a pesar de cuantos esfuerzos se hagan inútilmente, el *Pilgrim* estará sobre los arrecifes! ¡Es preciso que nos acerquemos a la costa! ¡En modo alguno me será posible llevar el bergantín a puerto! No hay otra solución que perder el barco con tal de salvar a usted y a su hijo, señora!

La señora Weldon miró abiertamente al muchacho a los ojos. Preguntó:

—Dame una sola respuesta, Dick. Contesta y dime si has hecho cuanto estaba a tu alcance.

El joven grumete en funciones de capitán, respondió con aplomo:

—¡Todo, señora!

Al punto comenzó a tomar las disposiciones y medidas más prácticas para encallar. Se encontraba el *Pilgrim* a sólo dos cables de la costa, muy próximo por tanto de dar en los arrecifes. La espuma de la resaca bañaba el estribor. A cada momento, creía el grumete que el casco del bergantín iba a chocar con una de las rocas. Súbitamente, Dick Sand advirtió entre los arrecifes el curso de un canalizo. Era la oportunidad para entrar con resolución y dejando de lado toda clase de vacilaciones para alcanzar la costa. Ya no vaciló en su elección. Un hábil movimiento de barra introdujo el bergantín en el estrecho y sinuoso canal por el que avanzó el navío, veloz y atropelladamente. El mar se mostraba más furioso por la angostura del paso y arrojaba sus olas sobre la cubierta del barco. Los negros se encontraban situados en la proa, junto a los barriles, atentos a las órdenes del joven grumete que se comportaba como un experimentado capitán hiciera en las mismas circunstancias.

De pronto, decidió:

—¡Rápido, muchachos! ¡Verted todo el aceite! ¡Pronto!

El aceite de los barriles fue echado al agua casi a oleadas. Lo mismo que por medio de un encanto el mar se calmó fugazmente para revolverse luego con más encabritada furia. Pero el *Pilgrim* pareció resbalar sobre aquellas aguas y se dirigió en línea recta hacia la costa. Más de súbito se produjo el choque. Levantado el navío por una ola formidable, acababa de encallar y al mismo tiempo su arboladura se había derumbado sin alcanzar afortunadamente a nadie.

El casco al violento choque se abrió como una granada golpeada. El agua entró invadiéndolo con furiosa violencia inundándole con rapidez creciente. Todavía la costa se encontraba distante más de medio cable y, por fortuna, una corta cadena de rocas negras facilitaba el acceso hasta la costa desde el buque. Pronto, todos los que navegaban en el *Pilgrim* se habían trasladado desde el abierto casco en el que el agua entraba libremente, hasta el cercano acantilado donde pudieron ponerse a salvo.

Capítulo XI

TIERRA IGNORADA

Aquella parte del litoral en el que la tripulación y los pasajeros del *Pilgrim* habían tomado tierra, estaba totalmente desierta. Por doquier se alzaban oscuras rocas formando una especie de anfiteatro rocoso. Por uno y otro lado pendientes suaves daban acceso a la parte más elevada. ¿Dónde se encontraban? ¿Acaso era aquélla la costa del Perú, tal como había supuesto Dick Sand?

Evidentemente era de gran importancia determinar el lugar preciso donde se hallaban, el lugar de la costa donde se había perdido el bergantín.

El grupo de náufragos se hallaba reunido en tierra mirándose unos a otros desconcertados. Miraban a su alrededor buscando alguna presencia de quien nativo en la tierra donde habían puesto las plantas pudiera orientarles. Pero era inútil, al paraje aparecía desierto. ¿Dónde se encontraban?

No había nadie extraño alrededor de los náufragos y, de haber estado, su cercanía o presencia habría sido inmediatamente denunciada por los ladridos de Dingo, sin duda alguna. Se paseaba el perro por la playa con el hocico rastreando el suelo, con la cola baja, mientras, buscando algo incomprensible gruñía sordamente. Pero tal actitud no era señal de acercamiento de alguien, sino de una labor incomprensible a la que de repente se había entregado. La señora Weldon fue la primera que reparó en el extraño comportamiento del perro y llamó inmediatamente la atención de Dick Sand:

—¡Dick! ¡Observa lo que está haciendo el perro!

—Por lo que parece anda buscando una pista... No hay duda sobre ello, señora Weldon.

—Pero resulta muy extraño, Dick. ¿Cómo precisamente aquí donde ninguno de nosotros estuvo anteriormente? ¿Acaso el perro pisó alguna vez estos parajes donde nos encontramos?

Sin duda, por relación de ideas, la señora se acordó del cocinero y expresó su pensamiento inmediatamente en voz alta:

—¿Qué habrá sido de Negoro? El cocinero también se bajó de a bordo al mismo tiempo que nosotros. ¿Dónde se ha metido?

Dick Sand contestó alusivamente:

—Está haciendo lo mismo que el perro, señora Weldon. Ahí le tiene yendo también de un lado a otro como si buscara algo. No me importa porque desde que abandonamos el barco queda relevado de su empleo. Se quedó sin cocina. Su servicio acabó con la encalladura del bergantín. No tengo autoridad para darle orden alguna.

Extrañamente, Negoro parecía hallarse midiendo la playa con sus pasos que iba contando. De repente se volvía y contemplaba toda la costa y el acantilado, lo mismo que si se esforzara en precisar sus recuerdos y fijarlos en su mente. ¿A qué obedecía su singular manera de comportarse? De pronto, Dick Sand le vio alejarse hacia un riachuelo y luego desaparecer. Dick Sand en cuanto dejó de verle ya dejó de prestar atención sobre su persona.

El grupo de náufragos buscó el refugio de un gruta natural. La señora Weldon que jamás perdía el temple, sonriendo a su hijo, le dijo animosamente:

—Bien, pequeño mío. Si nosotros fuesemos unos nuevos Robinsones no dejaríamos de bautizar con algún nombre esta gruta que nos acoge hospitalariamente.

No se trata de una gruta muy profunda, a lo máximo debía

tener unos diez o doce pies de profundidad. Sin embargo a los ojos del pequeño Jack era una cueva de proporciones colosales. Pero bastaba para dar acogimiento provisional a los náufragos del *Pilgrim* y como bien observaron la señora Weldon y su criada Nan estaba muy seca, lo que no dejaba de tener su importancia.

La luna aparecía en el espacio en su cuarto creciente y por tal motivo no podía temerse que las mareas alcanzaran al pie del acantilado, ni menos que entrara el agua en la gruta. La cueva les brindaría buen refugio por algunas horas.

Poco después, todos se hallaban tendidos sobre una alfombra de fuco. El mismo Negoro había considerado que, debido a las extraordinarias circunstancias, debía unirse a aquel grupo y compartir con todos los demás la comida que iba a ser hecha en común. Por tal motivo después de su breve ausencia había regresado considerando posiblemente poco prudente adentrarse por la espesa y peligrosa fronda que se extendía más al interior de la costa. No era más de la una de la tarde y después de los peligros corridos y salvados, todos reunidos sentían que el cansancio tanto como el hambre les apretaba. Necesitaban reconfortarse para tener fuerzas para los trabajos que seguramente les aguardaban. Al abandonar el bergantín habíanse llevado consigo viandas en conserva como carne y también galletas y agua potable, a la que añadieron algunas gotas de ron, licor del que el negro Bat había procurado abastecerse con una cuarterola al abandonar todos el *Pilgrim*.

La señora Weldon, cuyo hijito se le había dormido en brazos, dijo en presencia de todos los demás:

—Apreciado amigo Dick, en nombre de todos te doy las gracias por la estima que nos ha demostrado hasta el presente, pero al mismo tiempo debes saber que por nuestra parte no te apreciamos menos. Del mismo modo que en el mar por la lamentable pérdida del capitán Hull y su tripulación, has sido nuestro jefe, también deseamos que en tierra sigas siéndolo con el mismo valor y prudencia que hasta ahora ha demostrado. Disfrutas de toda nuestra confianza y total apoyo en lo que decidas. Ahora, dinos. ¿Qué opinas que es lo mejor que podemos hacer, Dick Sand?

Durante unos minutos Dick Sand reflexionó considerando la pregunta que la dama le había hecho. Después fue diciendo:

—Creo que lo primero y más importante es saber exactamente dónde nos encontramos, señora Weldon. Mi opinión es que nuestro navío sólo puede haber dado en algún punto del continente americano, a la zona formada por el litoral peruano. Creo que los vientos y las corrientes que nos impelieron con el ballenero nos empujaron hasta estas latitudes. Ahora bien, ¿nos encontramos en la provincia meridional del Perú, es decir en la zona menos habitada? Lo ignoro. Pero bien pronto tendremos ocasión de comprobarlo. Pero esta playa desierta parece de un paraje poco frecuentado. En este caso lo lamentable sería encontrarnos distantes de algún lugar habitado, lo que lógicamente nos ocasionaría una serie de dificultades.

—¿Y qué podemos hacer, según tú, Dick? —volvió a insistir la señora Weldon.

—No debemos abandonar este refugio hasta estar seguros y perfectamente enterados de la realidad de nuestra situación. Será conveniente que, mañana, después del descanso de la noche que nos espera, salgan dos hombres a explorar el terreno y regresen luego con información lo más precisa posible sobre los parajes en que nos encontramos. Es necesario encontrar algunos nativos del país para orientarnos y luego poder regresar a esta gruta sabiendo sin ningún género de dudas en que punto hemos tomado tierra. Pienso que no será posible que en diez leguas a la redonda no encontremos un alma viviente.

—¿Qué es lo que dices, Dick? ¿Separarnos los unos de los otros? Es un grave riesgo creo yo, puesto que somos ya de por sí un grupo bastante reducido.

El joven grumete decidió con serena energía:

—Es inevitable que así se haga. En mi opinión, señora Weldon, tanto usted como el niño, el primo Benedicto y Nan no deben, bajo ningún pretexto, abandonar la gruta sin antes saber qué tierras son las que hemos hallado. Bat, Acteón, Hércules y Austin se quedarán con ustedes, mientras que Tom conmigo saldrá para recorrer el territorio que nos rodea. No me cabe la menor duda de que Negoro preferirá quedarse también aquí, ¿no es así?

—Según se mire —respondió el cocinero que no era hombre dado a comprometerse a la ligera.

Dick Sand con el propósito de evitar la desagradable compañía de Negoro, mirándole, fijamente, repuso:

—Caso de que usted quiera acompañarnos llevaremos también a Dingo cuya colaboración nos puede ser de gran utilidad.

Al oír nombrar al perro, el cocinero palideció levemente porque sólo de pronunciar su nombre el perro asomó a la entrada de la gruta dando un breve ladrido como si hubiese comprendido que trataban de él.

Los arrecifes entre los que había encallado el barco estaban en aquellos momentos totalmente secos. Se erguía en medio de infinidad de restos, el casco seco del barco al que la marea anteriormente había anteriormente cubierto en parte. Tal detalle llamó con extrañeza la atención de Dick Sand pues no ignoraba que las mareas solían ser relativamente débiles. Como fuese, aquel fenómeno podía explicarse a causa de los fuertes vientos que soplaban sobre la costa.

Los negros con Dick Sand pudieron meterse con facilidad en el interior del bergantín goleta encallado entre los arrecifes, subiéndose al puente valiéndose de las jarcias que colgaban del lado del casco del *Pilgrim*. En tanto Bat, Austin, Tom y Hércules se dedicaban a sacar de la despensa del barco cuantos alimentos les eran indispensables, tanto líquidos como comestibles, Dick Sand entró en el departamento de la tripulación. El agua no había penetrado en aquella parte del navío, afortunadamente, pues la popa había quedado levantada después de haber embarrancado.

Dick Sand encontró cuatro fusiles remington de la fábrica Pord and Company, y también un centenar de cartuchos cuidadosamente colocados en las cartucheras. Había munición y armas de fuego suficientes para pertrechar debidamente a los suyos de forma que estuviesen en condiciones de resistir cualquier inesperada agresión y defenderse de los peligros que pudiera amenazarles, durante el camino que emprenderían tierra adentro.

El sol moría en el horizonte. En aquella época del año todavía no había cruzado el Ecuador, para proporcionar luz y calor al hemisferio austral, aunque no tardaría mucho en darlos. Pronto agonizó el crepúsculo y las tinieblas se extendieron por doquier, sobre las rocas de los arrecifes y el mar. Este detalle y la corta duración del crepúsculo ratificaron a Dick Sand en su opinión de que había llegado a un punto del litoral situado entre el Trópico de Capricornio y el Ecuador.

Negoro había salido de la gruta sin saber a dónde se había dirigido. Durante tiempo siguió sin regresar.

La señora Weldon, Dick Sand y los negros volvieron entonces regresaron a la gruta, para descansar. Tom observó:

—Nos espera una mala noche. El horizonte aparece lleno de nubes.

—En efecto —asintió Dick Sand observando el espacio—. Soplara fuerte el viento. Pero, ahora ¿qué falta nos hace? Se perdió nuestro bergantín goleta, y ni cien tempestades desencadenadas podrían ya hacernos naufragar.

La señora Weldon exclamó resignadamente:

—¡Hágase la voluntad de la Providencia!

Aquella noche cuando se retiraron todos a descansar, se convino que los negros se turnarían en servicio de vigilancia, a la entrada de la gruta.

Pero el mejor guardián era quien siempre tenía sus finos sentidos despiertos y limpios a todas las impresiones. Ni el menor ruido sospechoso, ni el más insignificante hálito oloroso, pasarían desaparcebidos a su fino olfato. Dingo, a un lado de la entrada de la gruta tumbado pero con los ojos abiertos y las orejas enhiestas, montaba la mejor cumplida de las guardias nocturnas. El fiel can velaba mientras sus amigos dormían.

Entre los arrecifes el mar se estrellaba rompiéndose en cascadas de finos cristales y en el espacio bramaba el aire con sordo rumor. En tanto, densos nubarrones se amontonaban en el espacio de la noche oscura.

Capítulo XII

UN HOMBRE LLAMADO HARRIS

Amanecía el día 7 de abril, cuando Austin que en aquellas horas montaba su servicio de guardia a la entrada de la gruta, vio que, de pronto, Dingo corría ladrando en dirección al riachuelo. Sus ladridos despertaron prontamente a la señora Weldon y a Dick Sand que salieron a ver lo que estaba ocurriendo en la salida de la gruta.

Indudablemente Dingo había olfateado la cercanía de algún ser vivo.

Dick Sand observó razonando:

—Puede que se trate de Negoro. Salió y todavía no ha regresado.

Pero el viejo Tom, negando con la cabeza, dijo:

—No. Si fuese Negoro a quien ha visto el perro, Dingo ladraría enfurecido.

La señora Weldon preguntó intrigada e inquieta:

—No comprendo de quién puede tratarse. ¿Quién puede ser entonces, Dick?

—Tampoco lo sé, señora Weldon. Pero no tardaremos en averiguarlo. Ustedes, Bat, Hércules y Austin, cojan sus armas y vénganse conmigo.

Lo mismo que hizo Dick Sand cada uno de los negros se

armó de fusil y cuchillo. Cada remington fue cargado con un cartucho y, una vez todos dispuestos, los cuatro emprendieron la marcha hacia la orilla del riachuelo.

En la gruta se quedaron la señora Weldon, su hijo Jack, el primo Benedicto, la criada Nan y Tom con Acteón viendo cómo sus amigos se alejaban de exploración. Era el momento de la aurora. El sol se remontaba poco a poco en todo su rojo esplendor encendido extendiendo sus rayos sobre el mar y los arrecifes donde el casco del barco estaba encallado y roto como un cráneo abierto.

Dick Sand, con sus compañeros, avanzó por el ribazo con las armas dispuestas para cualquier inesperada y peligrosa sorpresa. Avanzaron por la costa cuyo curva coincidía con la desembocadura del río. Entonces vieron a Dingo inmóvil con gesto de expectación y ladrando vivamente. Sin duda alguna por su actitud y manera desaforada de ladrar estaba viendo algo que motivaba su comportamiento. Quizá se tratara de algún nativo de aquellas tierras en las que todavía los náufragos no habían determinado a dónde pertenecían.

Fue en aquel instante en que un hombre apareció en la curva del acantilado. Avanzaba acercándose con gestos cordiales y amistosos, con los que trataba de calmar al perro. Pero parecía no importarle mucho la furia del animal que seguía ladrando. Hércules, examinándole de un breve vistazo, resumió:

—¡No es Negoro, señor Dick! ¡Es un hombre desconocido! ¡Cuidado!

—¿Qué importa que no se trate del cocinero, Hércules? Peor que éste no será. Nada perderemos cambiando uno por otro. Todo lo contrario.

Permanecieron en silencio y esperando a que el desconocido se aproximara. Dick Sand declaró con impaciencia:

—¡Al fin sabremos cuáles son las tierras donde hemos desembarcado!

—Se echaron los fusiles colgados del hombro y fueron en dirección al hombre. Al verlos, éste de pronto dio muestras de viva sorpresa como si anteriormente no les hubiese advertido. O probablemente aguardaba encontrarse con otra clase de hombres y no con los que le salían al encuentro. Como por su dirección procedía del otro lado de la curva que dibujaba en aquel lugar la costa, era muy probable que todavía no hubiese advertido los restos del navío encallado entre los arrecifes, porque de haber sido así, inmediatamente hubiese relacionado los restos del *Pilgrim* con los náufragos que iban a su encuentro. Por otra parte, la resaca durante la noche anterior había efectuado hasta su total destrucción el barrido de los restos del bergantín y apenas quedaban, flotando en las aguas, algunos objetos diseminados que el mismo oleaje se encargaba de dispersar mar adentro.

La primera reacción del deconocido al ver al grupo de hombres todos de color a excepción de Dick Sand que iba hacia él, fue el de emprender la huida. El sujeto llevaba un fusil con que defenderse. Con rápido movimiento se lo encaró apuntando con él hacia el grupo. Pero deshizo su gesto defensivo intentando recobrar el aplomo y la tranquilidad.

Cuando Dick Sand, amistosamente, le hizo un ademán de saludo, el individuo pareció sosegarse y se detuvo a la expectativa. Entonces siguió, a su vez, avanzando hacia ellos.

Entonces pudieron examinarle con atención y debidamente. Se trataba de un hombre de aspecto vigoroso, rondando los cuarenta años, de ojos vivos y penetrantes. Los cabellos y la barba canosa; la tez curtida por la vida a la intemperie, lo mismo que los hombres nómadas cuya existencia se desarrolla de continuo al aire libre en plena selva o bien en las llanuras. Vestía una especie de zamarra de piel curtida, se cubría la cabeza con un sombrero de amplia ala; calzaba altas botas hasta la rodillas, también hechas de cuero rematadas en los tacones con espuelas de gran acicate sonorosas.

Dick Sand le saludó en inglés:

—¡Buenos días!

—¡Buenos días! —respondió también en inglés el desconocido que se iba acercando más confiado por el saludo amistoso. Adelantándose hacia el joven grumete que iba a la cabeza del grupo le tendió la mano saludándole de nuevo y deseándole:

—Bienvenido sea usted a esta tierra, joven. ¿Son ustedes ingleses?

Dick Sand puntualizó:

—Americanos.

—¿Del norte o del sur?

—Norteños.

El desconocido sonrió complacido por la respuesta. Sacudió más entrañablemente la mano del joven grumete con estilo muy americano y añadió:

—Y bien, joven amigo, ¿puedo saber, cómo se explica que se encuentren en esta costa?

Pero, sin aguardar la respuesta del grumete, el hombre se destocó cortésmente el sombrero y saludó a la señora que se acercaba al grupo. Era la señora Weldon que había avanzado desde la gruta hasta el ribazo reuniéndose al grupo y había llegado en aquellos momentos ante el desconocido. Fue ella quién le dio respuesta:

—Caballero, sepa usted que somos los náfragos del bergantín cuyos restos todavía siguen entre aquellos arrecifes. La resaca terminó de destruirlo durante la noche. Aquí estamos totalmente desvalidos y sin apenas saber con certeza la tierra que pisamos.

En el rostro del hombre se extendió una franca simpatía a la vez que un ligero sentimiento de pesar. Giró la cabeza mirando hacia el mar, buscando los restos del naufragio. La señora Weldon le dijo entonces:

—Caballero, nuestra primera pregunta es para que nos diga dónde estamos. ¿Lo sabe usted?

El hombre explicó:

—Se encuentran ustedes en el litoral de la América del Sur. ¿por qué me hacen tal pregunta? ¿Acaso, si es esto posible, ignoran ustedes el punto donde se encuentran?

Dick Sand contestó seguro:

—Sí, porque quizá la tempestad puede habernos desviado de la ruta que teníamos prevista y por otras causas a la vez, no hemos podido determinar con toda exactitud la tierra que nos ha recogido. Yo supongo que nos encontramos en la costa del Perú... ¿O no?

—Amigo mío, están en un error. Han desembarcado ustedes un poco más al sur, propiamente en las costas de Bolivia.

—¡Ah! —no pudo por menos que exclamar sorprendido el joven grumete.

—Están ustedes concretamente en la parte meridional de Bolivia confinando con Chile.

—¿Qué lugar es entonces éste en el que nos encontramos, concretamente, amigo?

—No puedo determinarlo con certeza, amigos y lo siento por ustedes. Sólo conozco este país de un modo muy superficial por el interior por las diversas correrías que he llevado a cabo. En esta ocasión es la primera vez que recorro esta parte de la costa.

Dick Sand, después de reflexionar unos instantes, dijo:

—Por sus palabras compruebo que nos encontramos muy distantes de la ciudad de Lima.

—En efecto, Lima queda muy lejos, muy lejos de aquí, amigo. Hacia el norte.

La señora Weldon que se había alarmado a causa de la desaparición de Negoro examinaba con mucha atención al hombre desconocido que habían encontrado. Sin embargo, ni en el comportamiento ni en la manera de hablar y de cuanto decía se notaba doblez alguna o daba lugar al nacimiento del más leve recelo. Entonces, insinuó:

—Voy a permitirme hacerle una pregunta, caballero, que quizá usted interprete como indiscreta y queda por tanto en libertad de no darle respuesta, si así lo prefiere. ¿Es usted peruano?

—No, señora. Soy americano, como también usted debe serlo.

—En efecto, soy la señora Weldon.

—Pues, yo, señora Weldon, me llamo Harris. Nací en Carolina del Sur. Sin embargo hace unos veinte años me trasladé desde mi país a las pampas de Bolivia. Es por este motivo que me alegra tanto la ocasión de encontrarme con compatriotas.

La señora Weldon volvió a preguntar:

—¿Y vive usted en esta parte de la provincia, señor Harris?

—¡Oh, no, señora! Mi residencia está en el sur, en la misma frontera chilena y ahora me dirijo hacia Atacama, situada hacia el nordeste. Precisamente ustedes se encuentran en los límites de este desierto que se extiende más allá de los montes que encadenan el horizonte con sus cimas.

—¿Se refiere usted, señor Harris, al desierto de Atacama? —preguntó, entonces, Dick Sand.

—Sí. Ese desierto es lo mismo que un país aparte en la extensa América del Sur, de los que se diferencia en todos los conceptos. Es la zona más singular y a la vez peor conocida del todo el continente americano.

La señora Weldon siguiendo incansable en sus preguntas de sondeo, replicó:

—¿Viaja usted totalmente solo, señor Harris?

—Sí, desde luego. Pero no tiene importancia porque no es la vez primera que llevo a cabo este viaje. A unas doscientas millas de este punto, mi hermano posee una gran finca, llamada la hacienda de San Felice. Voy a su casa para tratar de un asunto que a ambos nos concierne. Si ustedes desean hacer el mismo camino conmigo, les invito. Les aseguro que serán bien acogidos y se les dará hospitalidad generosamente. Tampoco les faltarán medios de transporte para llegar hasta Atacama. Mi hermano se los facilitará gustosamente.

Antes de tomar una determinación al respecto, Dick Sand hizo algunas preguntas que demostraban su prudencia, a las que Harris dio cumplida y extensa respuesta:

—Cierto que el viaje es un poco largo. Sin embargo, más allá del ribazo tengo a mi caballo el cual pongo a disposición de la señora Weldon, para su comodidad, lo mismo que de su hijo. Los demás podremos hacer el viaje a pie que, por otra parte, tampoco nos resultará demasiado fatigoso. Las doscientas millas a recorrer son más llevaderas siguiendo la orilla del río. Contrariamente si siguiéramos a través del bosque, cierto que el camino disminuiría unas ocho millas pero en cambio resultaría más cansado y difícil. Andando a un promedio de unas diez millas diarias considero que nos será fácil y bastante fácil de soportar un viaje que de otra forma exigiría la mayor brevedad y más esfuerzo.

La señora Weldon mostró su agradecimiento al americano Harris.

—La única forma razonable de demostrar su reconocimiento, señora Weldon —dijo Harris—, consiste, precisamente, aceptando mi invitación. Si prefieren atravesar el bosque tampoco me intimida ello lo más mínimo. He atravesado en varias ocasiones la pampa y supongo que debe ofrecer menos dificultades. Como les he dicho el paso por el bosque acortaría en ochenta leguas el viaje. Si prefieren seguir el río la distancia será más larga. Pero sí, existe una cuestión que debe ser la que entraña más problema y es que yo no llevo conmigo más que lo indispensable para llegar a la hacienda de mi hermano.

La señora Weldon dispuso rápidamente:

—Tal problema no existe, señor Harris, Afortunadamente nosotros disponemos de gran cantidad de víveres sobrados para efectuar este viaje, y no es necesario añadir que nosotros tendremos mucho gusto en compartirlos con usted.

—Siendo como usted misma ha dicho, señora Weldon —dijo Harris muy complacido—, creo que no existe efectivamente problema alguno que obstaculice el viaje de todos en grupo. En cuanto ustedes dispongan podremos emprender la marcha.

Ya Harris se dirigía hacia la parte del río donde había abandonado a su caballo, cuando Dick Sand le detuvo para hacerle nueva pregunta:

—Un momento, señor Harris. ¿Cómo en vez de recorrer ciento diez millas por el desierto de Atacama, no seguimos al litoral? ¿No considera mucho mejor ir directamente en busca de la primera ciudad más cercana, sea en dirección al norte o bien al sur?

Harris le miró con atención. Frunció levemente el ceño y luego respondió con calma al muchacho:

—Mi querido amigo, no quiero desilusionarle, pero sepa usted que no es posible encontrar una ciudad en la costa a menos de tres cientas o cuatrocientas millas. Por el norte es todavía más difícil pero en el sur habría que descender hasta Chile, pero en modo alguno podría acompañarles por las pampas.

Dick Sand volvió a inquirir:

—Pero ¿y hacia el sur? Por otra parte, los navíos que van de Chile a Perú, ¿no pasan por frente de estas costas?

—Sí pero tan distantes que prácticamente es lo mismo que si no lo hicieran. Seguramente ni ustedes vieron a ninguno.

—Así es —reconoció la señora Weldon.

Y entonces le preguntó a Dick Sand:

—¿Tienes qué hacer alguna que otra pregunta al señor Harris, Dick?

—Sí, he de preguntar al señor Harris si sabe decirnos en qué punto nos sería posible hallar un barco con destino a San Francisco.

—No lo sé, amigo mío. Sólo puedo informarles con toda seguridad que una vez hayamos llegado a la hacienda de San Felice se les dará toda clase de facilidades para que lleguen a la ciudad de Atacama y una vez a ésta...

—Aceptamos su ofrecimiento, señor Harris —dijo la señora Weldon, pero no quisiera en modo alguno privarle de su caballo... Soy una buena andadora.

Harris sonrió replicando con buen humor no exento de cortesía:

—Y yo también, señora Weldon. En mí es ya una costumbre realizar largas andaduras por las pampas, y por descontado no seré yo quién cause retraso a la expedición, durante su marcha. Así que, señora Weldon, tanto usted como su hijo Jack usarán de mi caballo. Hasta es posible que durante la marcha nos encontremos con criados de la hacienda de mi hermano, la hacienda de San Felice, y en caso de que vayan a caballo nos cederán los suyos lo que facilitará la marcha, ¿Qué deciden, amigos?

Dick Sand preguntó resueltamente:

—¿Cuando vamos a partir, señor Harris?

—Hoy mismo. La mala estación dará comienzo en el mes de abril y no podemos retrasarnos. Hemos de apresurarnos a llegar lo antes posible a la hacienda de San Felice. Opino que el camino por el bosque es el más largo pero ciertamente también el más seguro. Nos libraremos probablemente con más facilidad de los indios nómadas que son bastante peligrosos en según que situaciones.

Dick Sand se dirigió a los que le acompañaban:

—Amigos, ya han oído cuanto ha dicho el señor Harris, por tanto debemos hacer cuanto antes los preparativos para emprender la marcha. Hay que elegir de entre las provisiones salvadas del bergantín aquellas que sean más llevaderas y de utilidad empacándolas de forma que sean fáciles de llevar.

La señora Weldon añadió de su cuenta:

—En tanto se hacen los preparativos yo, con ayuda de mi criada Nan, prepararé una reconfortante comida que nos será a todos muy necesaria para la larga caminata que nos aguarda.

Harris fue con Dick Sand en busca de su caballo. Se trataba de un vigoroso animal. Largo de cuello y lomo estrecho, el cuerpo ancho y la cola muy larga con todos los signos característicos de los caballos de raza árabe. Harris le declaró mostrándoselo:

—Es un caballo muy resistente, amigo mío. No se cansa jamás de caminar.

Mientras con el caballo llevado de la brida por Harris se dirigían a la gruta, Dick echó una amplia ojeada al acantilado y hacia la selva, sin descubrir nada que le causara inquietud.

De pronto, mientras iban andando, Dick le preguntó a Harris:

—Dígame, señor Harris, ¿no se ha encontrado con algún otro hombre por estos parajes? Se trata de un portugués llamado Negoro.

—¿Negoro? ¡No! ¿Y quién es ese hombre?

—Era el cocinero de nuestro bergantín, señor Harris. Ha desaparecido.

—¿Se ahogó?

—¡Oh, no! Desapareció por la noche y algo me hace suponer como lo más indicado que se alejó río arriba, por el mismo lado de que llegó usted, señor Harris.

—No he visto a nadie, Dick Sand. De todos modos si ese hombre siguió por donde usted dice, es muy probable que se haya extraviado y regrese. Quizá volvamos a encontrarle...

Dick Sand guardó silencio unos instantes reflexivamente. Luego subrayó las palabras del Harris, diciendo lentamente:

—Sí, ¿quién sabe? A lo mejor vuelve a aparecer... No me sorprendería...

Cuando regresaron a la gruta encontraron que el desayuno estaba dispuesto. Harris hizo honor al servicio comiendo con gran apetito. De súbito mientras éste estaba comiendo, la señora Weldon disparó su pregunta inquiriendo:

—¿Le dijo Dick Sand que Negoro ha desaparecido, señor Harris, y le ha dicho quién era?

Pero Dick Sand le aclaró:

—Sí, señora Weldon, se lo comuniqué al señor Harris, pero no se ha encontrado con hombre alguno mientras se acercaba al río.

—En efecto, señora Weldon —ratificó Harris—. No he visto a ese hombre. Pero no se preocupen por este desertor y piensen mejor en los preparativos de la marcha. Es más importante, digo yo.

Cuando todo estaba dispuesto, cada uno cogió su carga empaquetada. Montó la señora Weldon con ayuda de Hércules en el caballo de Harris y también el pequeño Jack con el fusil terciado lo cabalgó a su vez. Iba el niño sentado en el caballo delante de su madre y como llevaba también las manos en las bridas, el pequeño se hacía la ilusión de ser él quién gobernaba el caballo, convertido en jefe de la caravana que se puso en marcha.

El grupo de náufragos guiados por Harris se encaminó hacia la espesa selva. Una cortina de verdor detrás de la cual se ocultaba la incertidumbre y el misterio.

Capítulo XIII

LA LARGA MARCHA

Durante diez días los expedicionarios debían adentrarse por los senderos de la selva. Sin embargo, en opinión de la señora Weldon no existían grandes motivos de inquietud. Los indígenas que habitaban aquella zona no eran temibles en exceso si no se les provocaba y por otra el señor Harris parecía, como por sus palabras se deducía, un guía experto y profundo conocedor de aquel territorio.

La caravana marchaba abriéndose en cabeza en fila india, marchando con el fusil dispuesto Dick Sand seguido de Harris con un remington. Seguían tras los primeros Bat y Austin, ambos armados de fusil y cuchillo, y después la señora Weldon y el pequeño Jack a caballo. Y en la cola de la caravana la vieja Nan y el viejo Tom. Más atrás, como en retaguardia, Hércules con un hacha en la cintura cerraba el cordón expedicionario, acompañado de Acteón que iba armado de un remington.

El perro iba de un lado a otro, avanzando unas veces y otras retrocediendo, como si constantemente se ocupara inquietamente en la busca de una pista. Su conducta había cambiado notablemente desde que habían abandonado el *Pilgrim*. Se mostraba muy agitado y de vez en cuando, emitía extraños y sordos gruñidos, que más parecían lastimeros que enfurecidos.

Los senderos del interior de la selva ni merecían tal nombre. Sus veredas estaban formadas por las pisadas de los animales que no de hombres y por las muchas dificultades que entrañaba la marcha no podía avanzarse más de unas cinco millas por día. Sin embargo, el tiempo se mostraba espléndido. Oleadas de rayos solares caían casi perpendiculares pero bajo la impenetrable espesura de la selva resultaba tolerable un calor que en una llanura hubiese sido fatal.

En algunas ocasiones, la selva, aparecía pantanosa. Se hallaban redes de hilos líquidos que debían alimentar como venas los afluentes de algún riachuelo. Otras veces era preciso buscar el lugar más indicado para poder vadear los riachuelos que eran más anchos y profundos. Crecían junto a las orillas, espesos cañaverales a los que el señor Harris llamaba papiros. Y era cierto pues aquellas plantas herbáceas crecían abundantemente en aquellas húmedas riberas. La espesura de la fronda y de los árboles formaba tálamos sobre los estrechos y retorcidos senderos de la selva.

Aparecían de vez en cuando grandes calveros, mostrando en los claros el suelo sin verdor formado de granitos rosa y siena, semejando grandes placas de lapislázuli. En otros lugares abundaba la zarzaparrilla, con sus tubérculos carnosos formando intrincadas redes, que siempre preferibles a la selva con sus angostos caminos naturales. La caravana había recorrido unos ocho millas desde el punto en que iniciara la partida, y el sol iba agonizando en su crepúsculo. Decidieron acampar. Había que montar un verdadero campamento cuyas lonas serían las mismas copas de los árboles. Todo el mundo ansiaba dormir y descansar de la fatiga de la jornada. Un hombre montaría la guardia en tanto los otros descansaran.

Tan pronto se dispusieron para dormir bajo un mango de pronto estalló la algarabía entre la fronda del mismo. El mango servía también de cobijo a una colonia de papagayos grises, escandalosos y chillones. Gritaban de tal forma y con tanto extremo que Dick Sand cogió su fusil para aventarlos con la detonación de un disparo, pero oportunamente Harris se lo impidió, observándole:

Julio Verne

—No dispare, amigo. La detonación indicaría nuestra presencia en la selva. La selva, aunque no lo parezca, tiene los oídos muy finos para los que están acostumbrados a vivir en ella desde siempre. Será siempre mejor alejar toda ocasión de peligro.

Cenaron. Un arroyuelo que serpenteaba cerca les proporcionó agua fresca a la que se agregó unas gotas de ron. El postre lo facilitaba la misma copa del mango con sus sabrosos frutos que los papagayos aprovechaban.

La oscuridad se hizo total cuando hubieron terminado de cenar. Las tinieblas se extendieron desde el suelo hasta las espesas copas de los árboles. La selva hablaba con todas las voces de los animales cobijados en ella. Entre algunas copas se advertía el claro de la noche del espacio, donde fulguraban abiertas flores que eran estrellas. Los papagayos habían enmudecido. La naturaleza iba a sumirse en el profundo sueño de la noche misteriosa de la selva e invitaba a todos los seres vivientes a envolverse con las tinieblas profundas y acogedoras para el sueño. Instantes después todos dormían. Todos menos el gigante de ébano que montaba la guardia con los sentidos despiertos y el arma dispuesta. Hércules hacía honor a su nombre con su figura atlética, noble y magnífica.

Capítulo XIV

LA MARCHA DE LAS CIEN MILLAS EN DIEZ DIAS

La marcha a través de la selva proseguía. Durante los días 8, 9, 10, 11, 12 de abril fueron transcurriendo sin que durante el largo viaje surgiera ningún accidente. La marcha diaria solía ser de unas ocho o nueve millas por cada doce horas de andadura. Todavía se prolongó la marcha cuatro días más en dirección hacia el nordeste, manteniéndose las mismas condiciones de los días anteriores. El 16 de abril podía calcularse que habían recorrido un centenar de millas iniciado desde la costa. Se esperaba que antes de las cuarenta y ocho horas siguientes, por fin, la caravana encontraría un refugio confortable donde guarecerse y resarcirse de todas las dificultades y fatigas de la larga marcha.

Pero aquel día, mientras se descansaba al mediodía, rasgó el aire un extraño silbido que alarmó, inquietándola, a la señora Weldon. Se levantó precipitadamente, preguntando al mismo tiempo que miraba a su alrededor:

—¿Han oído? ¿Qué ha sido?

Inmediatamente Dick Sand y los negros escrutaron el suelo temiendo que se tratara de algún reptil dañino que se deslizara entre las hierbas el causante del silbido que había ocasionado la justificada alarma. Inmediatamente Harris tranquilizó a todos:

—Nada teman y procuren no moverse demasiado. Sigan tranquilos. Puede haber sido ocasionado por una serpiente llamada chucuru, pero esta clase de serpientes no silban sino que denuncian la cercanía de algunos cuadrúpedos silbadores, por otra parte inofensivos.

—Pero, ¿qué clase de animales son esos? —preguntó Dick Sand.

—Se trata de antílopes.

El pequeño Jack exclamó ilusionado:

—¡Antílopes! ¡Me agradaría verlos, señor Harris!

El americano replicó sonriendo:

—Es muy difícil pequeño. Mucho...

—¿Y por qué no intentamos acercarnos a esos antílopes silbadores, señor Harris?

—¡Oh, es del todo imposible! Son tan veloces que cuando habría dado sólo dos pasos, ellos ya habrían emprendido la fuga.

Sin embargo, Dick Sand tenía sus ocultas razones para intentarlo. Con el fusil en una mano se deslizó entre la hierba. Al punto una docena de suaves y gráciles gacelas de pequeños y afilados cuernos pasó veloz como una tromba dando agudos silbidos. El grumete regresó, mientras el señor Harris riendo le recordó:

—Ya se lo advertí, amigo. Corren más rápido que el viento.

Pero si había resultado muy difícil ver a aquel grupo de rápidos antílopes, no ocurrió lo mismo con otro grupo de animales sorprendido casualmente. Eran aproximadamente las cuatro de la tarde, que la caravana se había detenido cerca de un claro del bosque, cuando descubrieron tres o cuatro animales de grandes proporciones a cosa de un centenar de pasos y luego huyeron a gran velocidad. Sin recordar las anteriores recomendaciones del americano, el joven grumete disparó haciendo fuego. Apoyó el fusil en el hombro disparando.

Dick Sand erró el tiro debido que casi al mismo tiempo que apretaba el gatilla, Harris le desvió el cañón.

—¡No dispare! ¡No lo haga! —gritó Harris. Pero ya era demasiado tarde.

Mas la sorpresa de los animales vistos todavía mantenía en vilo a Dick Sand que exclamó sin prestar atención a las voces del americano:

—¡Eran jirafas!

El pequeño Jack estaba emocionado. Se irguió en la montura exclamando a la vez que preguntaba seguidamente:

—¡Jirafas! ¡Jirafas, mamá! ¿Dónde están? ¡Quiero verlas!

Pero Harris mismo se mostraba bastante sorprendido y exclamó a su vez:

—En efecto. Eran jirafas y lo singular es que en este país no puede haberlas...

—¿Siendo así, cómo se lo explica usted que es más conocedor de las tierras que estamos pisando, señor Harris?

—¡Qué quiere que le diga! ¡No lo sé, pero pienso que la imaginación le habrá gastado a usted una de sus bromas y en vez de ser jirafas eran avestruces lo que vio!

Dick Sand y la señora Weldon no pudieron por menos que mirarse con asombro y repitieron casi al mismo tiempo:

—¿Avestruces, dice usted?

—Desde luego.

—Pero, ¿qué es lo que usted dice, señor Harris? Los avestruces son pájaros y por consiguiente sólo tienen dos patas.

La señora Weldon dijo, a su vez:

—También yo he notado que tenían cuatro patas y no dos, señor Harris.

El viejo Tom intervino asegurando:

—También yo he visto que tenían cuatro y no dos, señora Weldon.

Y Bat, Austin y Acteón ratificaron la opinión del viejo coincidiendo con él.

Harris prorrumpió en una sonora carcajada, exclamando:

—Eso si que resultaria gracioso, ¡avestruces con cuatro patas!

Pero Dick Sand insistió gravemente:

—Sin embargo, a todos nosotros no nos parecieron avestruces sino jirafas, lo cual es muy distinto evidentemente.

Harris negó repetidamente con la cabeza mientras proseguía sosteniendo su teoría:

—No puede ser de ningún modo, amigos míos. Habrán visto ustedes mal. No es la vez primera que expertos cazadores se equivocan confundiéndose en sus apreciaciones ...

Dick Sand añadió:

—Yo estaba persuadido de que así como no hay jirafas tampoco hay avestruces en el Nuevo Mundo.

—Pero es que precisamente América del Sur cuenta con una especie peculiar, tal como el ñandú.

La respuesta de Harris no era equivocada. El ñandú es una ave zancuda muy común en la América del Sur, muy apreciada por su carne cuando el animal es todavía joven. Se trata de un pájaro robusto, de una altura que alcanza en algunas ocasiones hasta los dos metros. Su pico es recto, tiene largas alas vestidas de plumas de color azulado; lo pies provistos de uñas que le distingue de los avestruces africanos.

Dick Sand prosiguió pensativo. Una duda quedaba sin desvanecerse en su espíritu y procuraba tomar forma en su inteligencia

Al día siguiente, por la mañana, se prosiguió la marcha. La caravana siguió andando por el bosque que parecía interminable. Una vez más, también, Harris aseguro de nuevo que no pasarían veinticuatro horas sin que el fatigoso viaje tocara a su fin y llegarían a la hacienda de San Felice. La confirmación de tal esperanza les avivaba el paso ayudándoles a soportar la fatiga.

Capítulo XV

¡LA TERRIBLE PALABRA!

Eran doce noches de viaje para una mujer, doce noches transcurridas en la intemperie, jornadas más que bastantes para agotar a cualquiera cuanto más a una mujer, aun del temple probado de la señora Weldon. Y en cuanto a lo que este viaje representaba para la naturaleza de un niño mucho peor. En cuanto a los hombres habían resistido mucho mejor, como es natural, las incomodidades de la larga marcha. Los víveres comenzaban a agotarse, pero como les había bastado no habían sufrido necesidad. Según el americano, entrada la noche de aquel día que comenzaba, la noche del 18 de abril llegarían a la hacienda de San Felice. Dick Sand, Nan, el señor Benedicto, y Tom así como los demás habían soportado bien las molestias de la larga caminata. En cuanto a Harris se notaba que estaba acostumbrado a las largas expediciones con las incomodidades que traen consigo. Parecía no importarle demasiado los largos recorridos a través de la selva. Sin embargo, a medida que la distancia hasta la hacienda disminuía se efectuaba un cambio en la conducta de Harris, se mostraba más reservado y menos sincero que anteriormente, detalles estos que no pasaban inadvertidos a Dick Sand que sin saber ciertamente a qué atribuirlo desconfiaba de algo que no podía precisar pero cuyo peligro presentía como cierto.

La caminata proseguía. Durante las primeras horas del día todo marchó sin novedad. Pero dos hechos fueron observados por Dick Sand que a otros ojos hubieran carecido de importancia. Lo que primero le atrajo la atención fue la conducta de Dingo. Los ladridos del pobre animal se volvieron furiosos e impacientes, alertados y prolongados. Recordaban los mismos que profería cuando se encontraba en presencia de Negoro, en el puente del *Pilgrim*.

La sospecha que brotaba en la inteligencia de Dick Sand fue confirmada también por el viejo Tom quien le dijo:

—¿No es extraño, señor Dick? El perro ya no olfatea el suelo como durante esos últimos días. Tiene el pelo todo erizado y levanta el hocico, como si olfateara a lo lejos. Lo mismo que si olfateara la cercanía de...

—Negoro, ¿no es verdad, Tom? Lo mismo que si notara su proximidad, ¿no es así, amigo?

—Sí, señor. Lo mismo pienso yo. Casi diría que el perro ha notado que Negoro nos haya ido siguiendo, pisando nuestras huellas.

—Bien podría haber sido así, Tom. Pero, lo que es ahora, en todo caso, Negoro debe encontrarse más cerca y el perro lo ha advertido. No debe andar muy lejos.

—Pero, ¿por qué, señor? No comprendo tal comportamiento. Podía lo mismo haber seguido con nosotros, sin necesidad de seguirnos ocultamente. ¿Por qué?

—Puede que Negoro no conozca ese país y en tal caso no haya tenido más remedio que seguirnos o por el contrario...

—¿Qué, señor?

—Por el contrario lo conozca mejor que nosotros y entonces el motivo de su proceder sea otro...

—¿Cuál?

—Solamente el perro lo conoce y no puede decirlo más que ladrando.

Entonces, Dick Sand llamó al perro y cuando el perro acudió prestamente hasta él, le gritó mirando alrededor impaciente para excitar a Dingo:

—¡Negoro! ¡Negoro! ¿Dónde está, Dingo? ¿Dónde está?

El perro lanzó un furioso y excitado ladrido que repitió cada vez más fuerte. El nombre pronunciado por Dick Sand le produjo una terrible excitación y de súbito se lanzó corriendo hacia las malezas como si Negoro estuviese oculto tras ellas.

Harris había visto todo lo ocurrido. Con los labios prietos se acercó a Dick, inquiriendo:

—¿Qué pasa con el perro, joven amigo?

Fue el viejo Tom quién respondió riendo y bromeando:

—Figúrase usted, señor Harris. Acabamos de preguntar a Dingo por el cocinero del barco.

—¿Se refiere al portugués de quién me contaron que les abandono?

—Si, señor —contestó el viejo Tom—. El mismo. Según parece, a juzgar por los ladridos del perro, Negoro no debe andar muy lejos de nosotros.

—¿Cómo diablos puede haber llegado hasta aquí ese hombre? Pues que yo sepa jamás estuvo antes en este país.

Dick Sand, mirándole abiertamente, replicó con presteza:

—A menos que haya procurado ocultárnoslo todo el tiempo.

—No es fácil. Pero si ustedes lo desean podemos explorar estos tallares a ver si damos con él. Hasta podría ocurrir que ese sujeto se encontrara en una delicada situación y requiera de nuestro socorro. Esta selva es muy peligrosa para quien no sepa moverse por ella.

—No se preocupe, señor Harris. Ese hombre si fue capaz de llegar hasta aquí también lo será para llegar mucho más lejos. Y así lo veremos como mucho me temo.

—Lo que usted prefiera, amigo —dijo Harris dando por terminada la cuestión.

El perro seguía ladrando y recorriendo los zarzales. Dick lo llamó de nuevo:

—¡Basta, Dingo! ¡Vámonos!

La segunda cosa digna de atención que observó Dick fue el caballo del americano, el cual no parecía oler la proximidad de la cuadra, como suele ocurrir cuando los caballos están acercándose al establo. El caballo no husmeaba el aire, ni siquiera dilataba las narices ni se mostraba impaciente, como parecía apropiado a un animal que está acercándose al punto final de su viaje y que se acerca a la casa donde le aguarda la cuadra para descansar y reponerse del cansancio de varios días. El caballo se mostraba tan indiferente y resignado como los días anteriores, lo mismo que si se encontrara a centenares de millas de la hacienda de San Felice de la que había hablado Harris a sus compañeros de viaje. Y Dick Sand no dejó de pensar:

"No parece éste un caballo que está acercándose a la cuadra."

Pero, según había prometido Harris, ya no quedaban para recorrer más de unas seis millas y calculaba que a las cinco de la tarde cuatro de aquéllas ya habrían sido andadas. ¿Cómo entonces se explicaba el comportamiento del caballo? ¿Acaso se habría extraviado Harris en su camino y no se hallaban tan cerca como él creía de la hacienda?

Prosiguieron caminando y después de haber cruzado una pequeña llanura penetraron de nuevo en la selva. Harris marchaba en cabeza escudriñando por todos los lados mientras los demás le seguían en silencio. La señora Weldon se sorprendía en su fuero interno de encontrarse en una región despoblada en absoluto. Comenzaba a revelarse dentro de ella una desconfianza nacida de la larga continuidad de aquella caminata y de la extrañeza de en tantos días no haber visto siquiera un alma humana además de sus compañeros de viaje.

Hacia las seis de la tarde alcanzaron una pequeña espesura donde quedaban visibles huellas de haber pasado recientemente un grupo de animales. Dick Sand observaba con concentrada atención a su alrededor atento a todos los más insignificantes detalles. Desconfiaba ya totalmente de Harris. Presentía sin poder acusarlo con prueba alguna que era un traidor, que les estaba vendiendo teniéndolos a su merced a causa del desconocimiento total de aquellos parajes y extraños en absoluto de la tierra que pisaban. Sólo estaba al acecho de la menor prueba de su deslealtad para desenmascararle y exigirle aclarase las razones y los móviles de su traición.

Pero, ¿cuál podía ser la oculta finalidad que movía a Harris a comportarse de aquella manera? ¿Por qué? ¿A quién obedecía y con qué fines? Dado el caso de que no pudiera librarse de él y lo que se les tenía preparado e ignoraban ¿cuál iba a ser la suerte de los infortunados supervivientes del *Pilgrim*?

Dick Sand tenía presente en toda ocasión su responsabilidad. Había que poner a salvo a aquella mujer y el niño, a los negros y a todos sus compañeros de desventura, a los que la encalladura había dejado en una costa que les era del todo desconocida y en unas circunstancias tan difíciles. La extremada situación volvía a ponerle como capitán del *Pilgrim* y responsable directo de lo que ocurriera a los que corrían bajo sus órdenes. Tal realidad se le hacía cada vez más indiscutible. Sin embargo, de sus reflexiones no quiso confiar sus temores a la señora Weldon para no causarle la natural inquietud que la invadiría y el sufrimiento moral consiguiente sumado al físico que al parecer la interminable caminata la sometía.

Habiendo alcanzado antes que sus compañeros un arroyo bastante ancho, el asombro y la estupefacción se apoderó de él al descubrir a unos enormes paquidermos que lo abandonaban rápidamente a su aparición. Casi tuvo que morderse la lengua para no gritar lo que veían sus ojos:

"¡Unos hipopótamos! ¡Hipopótamos!"

Pero, ¿cómo era posible ver a unos hipopótamos en América del Sur?

Siguieron caminando todo el día cada vez con más evidente fatiga. Los cuerpos acusaban lo mismo que las expresiones de los rostros los efectos del prolongado viaje de tantos días en tan pésimas condiciones.

Serían ya las siete de la tarde, cuando de pronto, el viejo Tom encontró entre la hierba un objeto que mostró disimuladamente a Dick Sand. Se trataba de un cuchillo. Dick después de examinarlo se lo mostró a Harris que declaró:

—Lo habrá perdido algún nativo. Seguramente los indígenas ya no deben andar lejos de por aquí. Y sin embargo...

—¿Qué? —preguntó con cierta acritud, Dick Sand.

El americano respondió inseguro:

—La verdad es que deberíamos estar muy cerca de la hacienda de San Felice o ya haber llegado a ella. No comprendo cómo...

—¿Se habrá usted extraviado en el camino por la selva? —preguntó Dick Sand.

—No, no es posible. Conozco muy bien estos parajes y estoy seguro de que la hacienda no puede hallarse a más de tres millas a la redonda. Lo que pasa es que he elegido el camino que he considerado más corto con objeto de llegar antes, y podría haberme equivocado. No hay otra posibilidad...

—Puede ser, señor Harris. Pero, en tal caso ¿qué es lo que piensa hacer?

El americano se quedó pensativo unos segundos con la cabeza apoyado sobre el pecho. Después consideró:

—Opino que lo mejor sería que yo me adelantara a ustedes y en cuanto llegara a la hacienda pidiera caballos para todos y regresara con algunos peones a buscarlos.

Dick negó tajante la proposición:

—De ninguna manera, señor Harris. No nos separaremos.

—Como usted prefiera, joven amigo. Sin embargo, durante la noche me será más difícil guiarles.

—No será necesario seguir andando, señor Harris. Todos estamos tan fatigados que el descanso nocturno nos sentará bien. Por la mañana, en cuanto nazca el nuevo día proseguiremos la marcha. Será mejor. A la señora Weldon no le importará ya pasar una noche más bajo los árboles. Si falta tan poco como usted asegura, mañana con una hora de camino habremos llegado a la hacienda.

—Conforme, amigo. Lo que usted diga —respondió el americano asintiendo.

La conversación fue cortada en su final por unos furiosos ladridos de Dingo. Dick Sand, le llamó enérgicamente:

—¡Ven aquí, Dingo! ¡Ven! ¡No hay nadie por estos alrededores!

El perro, obedeciendo a la llamada de Dick Sand, regresó.

Seguidamente se prepararon los lechos para pasar la noche, pero cuando Tom se encontraba disponiendo el suyo, se detuvo súbitamente, llamando a Dick:

—¡Señor Sand! ¡Vea usted! ¡Mire!

—¿Qué es lo que ocurre, Tom?

Señaló hacia los árboles:

—¡Vea usted, señor Dick! ¡Ahí, en los árboles! ¡Hay manchas de sangre! ¡Es sangre lo que hay en la corteza del tronco! ¡Y... lo que hay en el suelo son... unos miembros mutilados! ¡Santo Dios!

Dick Sand fue al árbol y examinó lo que el otro le había indicado. Regresó excitado pero dominándose, le dijo a Tom:

—No digas nada, Tom. ¡Cállate!

Así era. Dick había hallado en el suelo unas manos cortadas y cercano a aquellos macabros restos humanos, unas horcas destruidas y una cadena rota. Afortunadamente, la señora Weldon no había tenido la desgracia de encontrarse con aquellos despojos humanos.

Por su parte Harris permanecía apartado de aquel sitio. Estaba sentado en el suelo y en su rostro se había verificado una transformación terrible. Tenía una expresión enfurecida y casi salvaje.

El perro había corrido a reunirse con el joven grumete y a la vista de aquellos restos todavía ensangrentados ladraba excitadamente, sin que Dick pudiera calmarle. Por fin consiguió alejarle.

Con los ojos desmesuradamente abiertos el viejo negro, Tom, permanecía inmóvil con gesto aterrorizado. De pronto en voz baja comenzó a dolerse aterrado:

—¡Señor Dick Sand! ¡Señor Dick! ¡Yo he visto en otras ocasiones, horcas como estas! ¡Sí, sí, señor Dick! ¡Oh... es terrible lo que me recuerdan! Las vi cuando era niño, señor.

Al viejo Tom le volvían a la memoria los antiguos e imborrables recuerdos crueles de su infancia. El pobre viejo con los ojos desorbitados por la impresión recientemente recibida a la vista de los despojos humanos iba a relatar algo horrible, pero

Dick Sand se lo llevó aparte pidiéndole y ordenándole al mismo tiempo:

—¡No digas nada de lo que has visto, Tom! ¡No digas nada para bien de todos los demás y de la señora Weldon! Lo que hemos visto es demasiado horribl: para que ellos lo sepan!

—Sí, señor Sand. No diré nada. No diré, nada en absoluto. Tiene usted razón. ¡Es demasiado horrible lo que hemos descubierto! Se aterrarían lo mismo que yo.

El campamento fue situado en otro punto, sin que los demás componentes de la caravana se enterasen del descubrimiento que el viejo Tom había hecho y que sólo conocía, además, Dick Sand. La comida fue preparada como de costumbre pero nadie comió apenas. Todos estaban tan rendidos por el cansancio que lo único que deseaban era descansar olvidándo-do en el sueño los rigores de la jornada.

Aquella noche, aproximadamente a las once, de pronto, un rugido brotó de entre la espesura. Tom al punto se levantó señalándole a Dick Sand hacia la fronda. En vano, el joven grumete le agarró de un brazo para impedirle toda manifestación hablada de lo que había reconocido. El viejo negro gritó dominado totalmente por el miedo a la vez que pugnaba en su terror por librarse de la mano de Dick que le retenía:

—¡Es un león! ¡Un león! ¡Un león!

Terminaba de reconocer el rugido de la fiera como brotando de nuevo de las brumas de su lejana infancia. Dick Sand movido por un fuerte impulso de cólera se lanzó hacia el lugar donde descansaba Harris, empuñando el cuchillo. Ya no había lugar a dudas respecto al engaño que había llevado a cabo con todos ellos y era necesario desenmascararlo de una vez obligándole, al precio que fuere a declarar toda la verdad que les había ocultado cobardemente y miserablemente.

Pero Harris no estaba en su sitio.

El y su caballo habían desaparecido después de haber llevado a feliz término el cruel engaño de aquel grupo de seres abandonados en la costa de una tierra extraña y totalmente desconocida para ellos.

El estupor, la indignación, el desconcierto y el más cruel

de los desengaños se apoderó de todos los componentes de la caravana al darse cuenta del engaño sufrido y al mismo tiempo de la realidad de la situación. Era algo increíble. ¡Al fin caían en la cuenta de que aquel país en el que habían desembocado no pertenecía a América del Sur sino que por la fauna que habían encontrado en su larga marcha tenía todas las trazas de ser tierra africana! ¡Se encontraban en algún punto de la costa africana y no de Sudamérica como habían creído durante aquellos días de lenta y fatigosa marcha.

Dick Sand comprendió después de reflexionar que la brújula le había engañado durante una parte del viaje en el *Pilgrim*. Arrastrado por la tempestad en una dirección distinta a la prevista y empujado el bergantín goleta por los vientos, debía haber dado la vuelta al Cabo de Hornos, y del océano Pacífico había pasado el navío al Atlántico. La velocidad del barco ballenero que sólo podía calcular de una forma aproximada y fácilmente imperfecta, habría sido duplicada sin que él lo advirtiera.

He aquí porque no habían aparecido los árboles del caucho, los quinos y los típicos productos de Sudamérica, en aquella región que se encontraban, que no era precisamente la llanura de Atacama ni tampoco la pampa boliviana.

¡Ciertamente lo que en ocasiones anteriores habían sorprendido eran jirafas y no avestruces como había desmentido el traicionero Harris! ¡Elefantes las pisadas que habían sorprendido en los tallares e hipopótamos aquellos a los que había sorprendido en el anchuroso arroyo y que huyeron al ver perturbado su reposo por el curioso aparecido en la orilla!

Y para terminar de borrar toda duda e incertidumbre el rugido poderoso e inequívoco del león. ¡Aquellas horcas, la cadena rota, los despojos humanos trágicamente abandonados en la selva, el testimonio de seres que vivían en aquellos lugares bajo afrentosa e inhumana cautividad!

Ya no había duda alguna que el portugués y el americano Harris habían obrado de común acuerdo. Pero, ¿con qué fin? ¿Cuál era el secreto y el misterio de toda aquella inhumana maniobra de la que ellos, los supervivientes del *Pilgrim,* eran víctimas?

La realidad era contundente y aplastante para todos ellos y se reducía a una verdad difícil de admitir pero implacablemente concluyente y Dick Sand no pudo por menos que expresar sus pensamientos a la vez que con pesadumbre y con indignada emoción:

—¡Estamos en Africa! En el Africa ecuatorial. El Africa donde hacen su vil comercio los traficantes de esclavos. ¡Los tratantes de ébano negro! ¡Es Africa y no Sudamérica la tierra que hollamos. ¡Dios nos ayude!

SEGUNDA PARTE

Capítulo Primero

HARRIS Y NEGORO

Mientras Dick Sand y sus compañeros de expedición quedaban a merced del azar abandonados en la selva, al día siguiente del abandono de que habían sido objeto por el guía que les había traicionado, dos hombres se encontraban reunidos a unas dos millas de donde Dick Sand y sus amigos habían instalado su campamento.

Los dos hombres no eran otros que Negoro y Harris, el americano. Los motivos a que obedecía la entrevista que celebraban el portugués procedente de Nueva Zelanda con Harris en el litoral de Angola, no tardarán en conocerse a través del diálogo que sostuvieron sentados ambos al pie de un gigantesco banano. Fue Negoro quien inició la conversación con la siguiente pregunta:

—¿Y cómo fue eso Harris? ¿Por qué no consiguió llevar a todos cien millas más al interior de Angola? Es lo que me convenía para deshacerme para siempre del grupo mandado por ese capitán de quince años. Ese capitán Sand merece un escarmiento, Harris.

—No me fue posible, camarada,. Fue más que bastante conseguir introducirlos por la selva africana haciéndoles creer que estaban en Sudamérica. Creo que ésta ha sido la broma más pesada y colosal que se habrá gastado jamás a un grupo de expedicionarios. Habrán penetrado en el interior del territorio un centenar de millas por la selva y no creo que jamás conseguirán ellos, por sí mismos, acertar con el camino de regreso.

Negoro se mostraba contrariado con las palabras del americano. Replicó:

—Sin embargo, hubiesen bastado cien millas más, repito, para desembarazarnos para siempre de todos ellos. De todas formas, camarada, no creo que consigan escapársenos.

—Dalo por seguro, Negoro. Llevé a cabo un buen trabajo. El muchacho, ese joven grumete ascendido por las circunstancias a capitán, me tenía el ojo clavado y poco a poco notaba yo que iba en aumento su recelo. Sospechaba que algo no iba bien. Más de un centenar de veces adiviné en sus pupilas el deseo de meterme plomo en el corazón a la menor certeza de lo fundado de sus sospechas. No me agrada el plomo, Negoro. Así que acabé por tomar el vuelo cuando vi ayer que la cosa se ponía al rojo vivo. Seguro que si no me largo sin dar las buenas noches, a estas horas, no podría hablar contigo ni con nadie porque tendría la lengua muerta lo mismo que el resto de mi cuerpo.

—Bien, Harris. Les engañaste bien y con todo no me doy por satisfecho respecto a Dick Sand, pues mi deseo está en aguardar el momento de cobrarle el menosprecio con que me trató mientras estuvimos en el *Pilgrim*. Pero todo llegará, amigo.

—Sí, camarada. No lo dudo. Todo llegará. Y saldarás cuentas conforme a tus intereses. Por mi parte bastante conseguí con hacerles creer que esta provincia pertenecía a la zona del desierto Atacama de Sudamérica. Pero el muchacho no se daba por convencido totalmente. Cuando vio jirafas llegué a convencerle que había sufrido un error óptico y habían sido avestruces lo que viera. Vimos huellas claras de elefantes, después dimos con los hipopótamos. Era muy difícil en cada ocasión hacerle comprender que en Sudamérica no hay tales animales y que por tanto había caído en confusiones evidentes. ¡Es más que demasiado! Pues resulta siempre imposible pretender el imposible que el sol entre por el agujero de una caña. Por fin ayer noche no tuve más remedio que montar a caballo y escaparme porque mis últimas horas presentía que estaban contadas.

—Está bien, camarada. No había otro camino que tomar. Lo comprendo.

—No se puede más y esto es todo, camarada —repuso Harris encogiéndose de hombros. Y añadió—: Por tu parte obraste prudentemente en mantenerte alejado de la caravana, pero te presentía, amigo. Ese perro, al que llaman Dingo, por lo visto no te tiene mucha simpatía. ¿Qué mala jugada le habrás jugado a ese animal, para que sólo oler tu cercanía se vuelva casi loco de cólera cuando de costumbre es un perro manso y afectuoso?

Negoro frunció el ceño sólo de oír nombrar al perro. Respondió con evidente resentimiento:

—No le hice daño alguno a él, pero descuida que no tardará mucho en recibir un balazo en su cabeza, por ladrarme tanto. Es más blando el plomo de una bala que el marfil de sus dientes, pero más fuerte que el hueso de su cráneo.

—Ten cuidado con el uso del plomo, Negoro. No olvides que también los de la caravana llevan su ración respectiva para regalar si es llegado el momento. En cuanto a ese joven capitán de quince años maneja con soltura el fusil y puede que también desee meterte un balazo en la cabeza como tú deseas meterlo en la cabeza del perro que siempre le acompaña con los demás.

—Sea como sea, Harris, te aseguro que ese muchacho me pagará todas sus insolencias y las humillaciones que he tenido que soportarle —aseguró Negoro con implacable crueldad en sus ojos.

—Ya veo, camarada Negoro, que el viajar no cambia la manera de ser. Esto me recuerda aquellas palabras de Séneca en las que viene a decir más o menos de esta guisa: "¿Qué importa que cambies de lugar si no cambias de manera de ser?" Así a ti el viajar no te mejora ni enmienda.

Se hizo un silencio entre los dos hombres y luego, Harris prosiguió:

—Oye una cosa, Negoro.

—¿Qué?

—Cuando te encontré inesperadamente en el lugar del naufragio, en la desembocadura del Longa, sólo tuviste oportunidad para recomendarme el cuidado y conducción de esa pobre gente, rogándome que la condujera lo más lejos posible a través de lo que yo les hice creer que era Bolivia, cuando en realidad es Africa. Yo he cumplido con tu deseo, Negoro, pero todavía no me has contado lo que has hecho durante los dos últimos años que hemos estado sin vernos. ¡Dos años es mucho tiempo, camarada, y más en vidas como las nuestras tan aciagas! En cierta ocasión, después de haberte hecho cargo de una caravana de esclavos que pertenecía al anciano Alvez, del que éramos agentes de toda confianza, abandonaste con el cargamento humano Lassange y jamás se volvió a saber de ti. Imaginé, ciertamente y no sin fundamento, que te había apresado el crucero inglés y que en premio te habían puesto en la garganta una corbata de cáñamo para ahorcarte.

Negoro enarcó las cejas filosóficamente y subrayó las palabras de su compinche:

—No faltó mucho para que así fuera, Harris. Pero soy muy afortunado, a pesar de todos los traspiés que sufro de vez en cuando. Siempre salgo bien librado porque soy muy astuto.

Harris movió la cabeza reconviniéndole, al mismo tiempo que aseguraba calmosamente:

—No te envanezcas de tu suerte, camarada. Te has salvado en muchas ocasiones de la horca, pero al paso que andas acabarás subiendo al cadalso.

—¡Eres muy amable! Tanto como mal profeta, Harris.

—¡No puedo decir otra cosa mejor, Negoro! ¡Son frutos que da el árbol del mal! ¡Qué le vamos a hacer! Pero, resumiendo, en aquella ocasión, ¿qué ocurrió te echaron el guante?

—Sí. Pero no me ahorcaron.

—No me cabe la menor duda, de lo contrario no estaría hablando ahora contigo, a menos que lo esté haciendo con uno que ha regresado de ultratumba. Creo que sigues siendo un vivo, ¿no?

—Siempre he sido un vivo.

—¿Y quiénes te cogieron? ¿Los ingleses?

—No. Fueron los portugueses.

—¿Antes de que te hubieses deshecho de la carga de esclavos?

—No. Fue después. Ya no hay que temer menos a los portugueses que a los británicos, Harris. Todos se han vuelto de espaldas al gran negocio que representa la trata de esclavos. Pero antes, bien aprovecharon la carne de color como herramienta de trabajo. Alguien me denunció y me prendieron.

—¿Y cuál fue la condena que te echaron, Negoro?

—Muy dura y tan prolongada como lo que me quedara de vida. La pena fue de cadena perpetua; terminar mis días en el penal de San Pablo de Loanda.

Harris exclamó escandalizado:

—¡Mal balneario para tomar las aguas, camarada! ¡Nada peor que una larga estancia en una penitenciaría! ¡No se puede encerrar a pájaros libres como nosotros en jaulas de tal clase sin peligro de dañarnos la salud. ¡Necesitamos mucho aire y grandes espacios. ¡Antes de verme entre cuatro muros tan desagradables como deben ser los de un penal, prefiero que me ahorquen!

—Sin embargo si hubieses subido al patíbulo, Harris, sólo lo hubieses bajado con los pies por delante. En cambio es más fácil salir de un penal...

—¿Conseguiste evadirte...? ¡Claro! De otra forma no estarías hablando conmigo.

—Así es, Harris. Tú lo has dicho. Soy escurridizo como una serpiente. A los quince días de haber entrado en el penal, me oculté en la bodega de un *steamer* inglés que se dirigía a Auckland, un puerto de Nueva Zelanda. Me había escondido, afortunadamente, entre un barril de agua y un cajón lleno de conservas, que me proporcionaron comida y bebida durante el tiempo que duró la travesía. Fue un tormento tener que permanecer durante todo el trayecto escondido en la bodega sin poder salir y presentarme al capitán del barco. No era posible. Hubiese descubierto mi identidad de fugitivo y me hubiese devuelto al penal de Loanda o a lo mejor me hubieran entregado a las autoridades al llegar a Auckland y mi suerte hubiese sido peor si decidían ahorcarme. No tuve más remedio que seguir viajando de incógnito como ciertos personajes demasiado populares ¡Hay quien tiene fama dorada y otros menos afortunados que cosechamos fama negra!

—¡Bien! ¿Qué más que desear, Negoro? Viajaste y, además, sin pagar pasaje. ¡Todo lo quieres con ventaja! —exclamó Harris soltando la carcajada. Y añadió—: ¡Caramba, camarada! ¡No está bien, no! ¿Qué más puedes desear para seguir todavía mal hablando de la fortuna que te protege con su amplio manto? ¡Viajas sin pasaje y, además, ¡alimentado gratis con alimentos en conserva!

—Sí, un viaje de treinta días en el fondo oscuro de una bodega sin más vecindario que el de alguna que otra rata insolente.

—¡Bueno, camarada! ¡No te amargue el sabor del paladar los malos recuerdos! ¡No todo son fresas en esta vida! Te salvaste y ahora estás de regreso. ¿Volviste en parecidas condiciones que en el viaje en la bodega?

—No. Sólo ansiaba regresar a Angola para reemprender mi negocio de tratante de esclavos.

—Desde luego, el oficio siempre tira, y tanto más si es productivo como el del tráfico de esclavos.

—Camarada, Harris, durante dieciocho largos meses...

Pero Negoro se detuvo porque en aquel momento llegó hasta él un leve ruido y centró su atención en unos papiros cercanos, diciéndole a su compinche:

—Harris, ¿has oído lo que yo? En esos papiros...

Harris puso manos a su fusil y respondió bajando la voz:

—Sí, camarada. También yo...

Se levantaron ambos y cautamente miraron a su alrededor con renovada y más atención. Pero Harris se tranquilizó diciendo:

—No ha sido nada de cuidado, Negoro. Lo que ocurre es el arroyo ha crecido debido a la última tormenta y por esto su ruido es más fuerte que de costumbre. Has perdido el hábito de entender todos los ruidos del bosque, pero pronto volverás a interpretarlos. Sigue contándome tus últimas aventuras, camarada. Todo esto de aquí suele ser siempre igual y por lo mismo aburrido hasta la monotonía. Las novedades son acogidas agradablemente. Una vez hayamos hablado del pasado trazaremos planes para realizar, según ellos, nuestro porvenir. Habla, camarada. Te escucho con atención.

De nuevo volvieron a tomar asiento a la sombra del banano. El portugués siguió contando:

—Estuve vegetando dieciocho meses en Auckland. Cuando llegué allí no tenía un céntimo en mis bolsillos. Tuve que dedicarme a todos los menesteres para poder vivir.

—¿Y también hiciste el oficio de hombre honrado?

—Por mi desgracia, así me vi, Harris. Nunca en mi vida me había visto tan apurado y hundido en tanta humillación. ¡Yo, Negoro, convertido a viva fuerza en hombre honrado!

—¡Qué lástima! ¡Me inspiras realmente mucha compasión, camarada! ¡Verte hasta tan extremada situación!

—Pero yo aguardaba, Harris...

—¿Aguardabas a qué, Negoro?

—Una oportunidad. Y ésta al fin se presentó cuando llegó al puerto de Auckland el *Pilgrim*.

—¿Te refieres a ese ballenero que encalló en las arrecifes de la costa de Angola?

—Ese mismo, Harris.

—¿Y qué hiciste?

—Conseguí que me contrataran como cocinero. Tomó también pasaje en él, la señora Weldon con su hijo, su criada Nan y un primo que se llama Benedicto.

—Ya sé quienes son todos ellos, Negoro.

—Pues bien, como cocinero del barco logré salir de Auckland. Pocos días más tarde me alejaba de Nueva Zelanda. Y aquí estoy de nuevo, tal como me había propuesto.

Harris observó con cierta extrañeza:

—Sin embargo, tal como me dijo el joven capitán de quince años, Dick Sand, el ballenero no se dirigía ciertamente a Africa. ¿Cómo conseguiste pues que cambiara su ruta?

Harris se quedó mirando a Negoro con atención. Sin duda alguna sentía gran curiosidad de saber cómo se las había ingeniado el portugués para que cambiara de rumbo el *Pilgrim*.

Negoro, sonriendo sardónicamente con evidente complacencia, declaró:

—Todavía ese Dick Sand no puede explicarse cómo haya podido así ocurrir. Cuando me embarqué todas mis únicas posibilidades estaban en llegar a Chile que era el punto de destino del bergantín goleta. Pero las cosas se pusieron de mi parte cuando, a las tres semanas de haber partido de Auckland, el capitán Hull que era quien comandaba el bergantín tuvo la desgracia para él y la gran suerte para mí de desaparecer con toda su tripulación en el mar, empeñados en la caza de una ballena. Aquel día sólo quedaron dos marineros a bordo del *Pilgrim,* el grumete Dick Sand y el cocinero Negoro.

—¿Acaso te encargaron del mando del buque, camarada?

—Tal fue mi propósito cuando ocurrieron las cosas, pero se desconfiaba de mi persona a causa de la conducta del maldito perro. Por otra parte también había cinco vigorosos negros a bordo, todos ellos hombres libres. Así que, después de varias consideraciones que prudentemente me hice, seguí siendo el cocinero del barco.

—¿Y en tal caso los vientos se pusieron de tu favor y soplaron las velas para conducirte protectoramente hasta la costa africana, amigo? ¡Qué bien mimado eres de los dioses!

—No, Harris —repuso Negoro, prosiguiendo—: No existe mas favorecimientos en esta aventura que corrí que la de haberte encontrado tan casualmente en la costa donde ocurrió la encalladura del *Pilgrim,* de otra forma los acontecimientos se habrían desarrollado seguramente de otra manera para mí y para los supervivientes. Pero el hecho de haber llegado a Angola, en esto sí que ciertamente ha jugado papel muy importante mi voluntad. Dick Sand es evidentemente un buen grumete y además con mucho y futuro provecho para la navegación dado el caso que llegue a mayoría de edad, cosa que corre de mi cuenta impedírselo. El muchacho sólo podía hacer que comprobar la velocidad del buque y su posición mediante la corredera y la brújula, respectivamente. Pero, un día, la corredera fue a parar al fondo y otro día, por la noche, la brújula fue inutilizada mediante un incidente que a todas luces pareció casual pero que mis manos ocasionaron secretamente. El *Pilgrim,* impulsado por vientos tempestuosos fue cambiado de rumbo. La prolongación de la travesía, inexplicable para Dick Sand, igual lo habría sido para el más experto marino. Sin que el grumete lo sospechara fue doblado el cabo de Hornos al que yo reconocí entre la bruma. Fue entonces cuando volví a corregir la variación de la aguja de marear que recobró su verdadera dirección y el navío, impulsado hacia el Noroeste, vino a estrellarse y a embarrancar contra los arrecifes de la costa africana, contra la de Angola, que era precisamente a la que yo quería arribar.

—¡Qué cosas tiene el Destino o la Providencia, Negoro! Casualmente me encontraba yo por aquellas rocas del litoral para recibirte y conducir a aquellas buenas gentes selva adentro. Imaginaban encontrarse en América. Sólo les era posible concebir que habían llegado a ella y no era difícil seguirles en el engaño, lo verdaderamente complicado hubiese sido hacerles comprender que se encontraban en la costa africana y no en la americana.

—Sí, han caído en el engaño, Harris. Lo han creído todo hasta el último momento.

—Posiblemente a cualquiera en las mismas circunstancias le hubiese ocurrido lo mismo, Negoro.

—Ya lo sé y precisamente entraba en mis cálculos sacar buen partido del error. Ahora, la señora Weldon y los demás se encuentran a cien millas en el interior de Africa, que en realidad estaba en mis propósitos.

—Sí, Negoro, pero una cosa cambia y es que ahora ya no ignoran dónde se encuentran realmente.

—¿Y qué importa esto, Harris?

—¿Qué piensas hacer ahora, Negoro?

—Antes de que te lo diga, dime algo respecto a nuestro dueño, el tratante Alvez al que no he visto desde hace dos años.

Harris se rió. Después explicó de corrido:

—¡El viejo vive a las mil maravillas, Negoro! Se alegrará mucho de volver a verte y poder contar de nuevo contigo.

—¿Sigue todavía en el mercado de Bihé?

—Ya no, camarada. Desde hace un par de años aproximadamente se trasladó con su establecimiento a Kazonndé.

—¿Cómo le marchan sus negocios?

—¡Por mil diablos, Negoro! La trata de negros se pone cada vez más difícil. Antes era un negocio saneado. Pero, por una parte las autoridades portuguesas y de otra los cruceros ingleses, dificultan las exportaciones de carne negra fuera de Africa.

Harris hizo una pausa y como consecuencia de sus anteriores palabras, resumió todo en una sola pregunta:

—¿Cuáles son tus planes respecto a la gente del *Pilgrim,* Negoro?

—Mis proyectos se dividen en dos partes, Harris. Una de ellas comprende a los que venderé como esclavos y la otra a los que no.

El rostro del portugués había cobrado una expresión de odio salvaje.

—¿Y cuáles son los que venderás como esclavos, Negoro?

—A los cinco negros que acompañan a la señora Weldon. Cierto que el viejo Tom poco provecho dará de su venta, pero los otros cuatro son mozos muy fuertes y atléticos por los que se pagará un buen precio en el mercado de Kazonndé.

Harris no pudo por menos que confirmar los cálculos de su compinche, exclamando:

—¡Desde luego, Negoro! ¡Son magníficos ejemplares y se cotizarán alto! ¡Además son inteligentes y no en estado salvaje como tantos brutos del interior cazados entre las tribus y que luego nos llegan hasta aquí como ganado que obedece sólo con el látigo. Esclavos procedentes de América, civilizados y luego vendidos en la misma Africa es una rara mercancía muy cotizable. Pero, Negoro, ¡qué olvidadizo eres en los pormenores! todavía no me has contado si había algún dinero contante y sonante en el *Pilgrim* que encalló.

—¡Poca cosa, Harris! ¡Sólo unos centenares de dólares, que no he querido que se fueran al fondo del mar! Los cogí para que no se mojaran! Afortunadamente cuento con algunos robos...

—¡Habla, habla, camarada! ¿A cuáles te refieres?

Negoro, de pronto, pareció que lamentaba haber hablado demasiado y desdeñó rápidamente quitándole importancia al asunto:

—No es nada importante, Harris. Dejémoslo, camarada.

—Como quieras, Negoro. Ahora sólo resta por hacer apoderarse de esta mercancia humana.

—¿Acaso te parece difícil?

—No lo creo, Negoro. Todo depende de algún detalle. A unas diez millas de aquí, está acampada una caravana de esclavos conducida por el árabe Ibn Hamis que sólo aguarda mi regreso para ponerse en camino hacia Kazonndé. En aquel punto hay más soldados indígenas de los que se precisan para dar captura a Dick Sand y a todos los suyos. Bastará que Dick Sand se le ocurra la idea para nosotros afortunada, de dirigirse hacia el Coanza.

Negoro le miró a los ojos cautamente y sugirió su duda:

—Es posible, sólo que falta que tal idea se le ocurra y la lleve a la práctica.

—No hay duda de que así lo hará. El muchacho es inteligente y obrará en consecuencia pero ignorando el peligro que le aguarda. De ningún modo volverán los componentes de su expedición por el camino de la selva que ya han recorrido hacía la costa de regreso de nuevo. No. La marcha ha sido muy larga y fatigosa. No la resistirían esta vez. Procurará llegar hasta uno de los ríos más cercanos, para seguir su curso en alguna canoa indígena o quizá en alguna balsa construida por ellos mismos. Es la solución más razonable que puede elegir y es lo que, seguramente, hará.

—Puede que sí.

—Te lo doy por seguro, Negoro. ¿No te das cuenta, Negoro, que es lo mismo que si yo le hubiese dado una cita en la orilla del Coanza en el lugar que los he dejado? Pues obrarán según lo que tengan más al alcance y que parece su más segura salvación.

—Siendo así, Harris, pongámonos en camino. Conozco a

Dick Sand. No tardará en ponerse en camino y hay que llegar antes que él. Hay que adelantársele, Harris. ¡En marcha, Harris!

Se levantaban ambos cuando de nuevo se repitió el ruido que primero les había alertado. Era un ligero removerse de las ramas de los papiros. Negoro cogió a Harris de una de las manos repentinamente y se quedó clavado en el suelo.

De súbito sonó un ronco gruñido de rencor. Un perro apareció junto al ribazo mostrando su boca abierta y el collar de afilados dientes punteando las fauces. El perro estaba dispuesto a arrojarse sobre sus enemigos.

Harris palideció asombrado y exclamó:

—¡Es Dingo!

Negoro abrió desmesuradamente los ojos y luego frunció las cejas con odio. Dijo sordamente:

—¡Maldito perro! ¡Esta vez no se me escapará! ¡Voy a meterle un balazo en la cabeza!

Iba Dingo a arrojársele encima cuando Negoro, agarrando rápidamente el fusil de Harris, se lo apoyó en el hombro y apuntando veloz sobre el animal, abrió fuego.

Un prolongado aullido de dolor respondió a la sonora detonación del arma de fuego, y Dingo desapareció aullando entre la hilera doble de arbustos que bordeaba la orilla del arroyo. Al poco los ladridos se fueron alejando hasta que dejaron de oírse.

Negoro tenía una sonrisa fría y la mirada alocada de satisfacción. Devolvió el arma a su compañero y comenzó a descender hacia la parte baja de la orilla, exclamando:

—En esta ocasión se ha ido llevándose un plomo en el cuerpo. ¡Maldito perro! ¡Espero que no sobreviva a la herida!

Harris había presenciado todo lo ocurrido sin despegar los labios. Sólo después, dijo irónicamente:

—Por lo visto, Negoro, ese perro te quiere mucho.

—Puede que sea como dices, Harris, pero su afecto ha terminado con ese balazo.

—¿Y a qué se debe tanto aprecio como el que te tiene, Negoro? ¡Nunca había visto relación tan amistosa entre un perro y un hombre!

Negoro dobló los labios con menosprecio:

—Se trata sólo de un viejo asunto que tenemos que solucionar entre los dos. Una especie de reto. El me busca y yo aguardo a tenerle al alcance de un arma para darle un golpe definitivo y mortal. En esta ocasión poco le ha faltado, si es que sobrevive.

—¿Así que un antiguo asunto entre un hombre y un perro? ¡Es muy interesante! Me gustaría saber lo que hay en el fondo de la cuestión...

Pero Negoro no dijo nada más al respecto. No le cabía duda a Harris que el portugués le había ocultado alguna siniestra aventura, pero no insistió en su curiosidad. Esperó que el tiempo daría lugar a que se enterase de ella, de alguna u otra forma.

Poco después, ambos siguiendo el curso del arroyo se encaminaban hacia Coanza, a través de la enmarañada y misteriosa selva africana.

Capítulo II

EL DURO CAMINAR

Dick Sand, evocando los últimos acontecimientos sobrevenidos desde que tuvo con sus compañeros de odisea que abandonar el *Pilgrim,* consideraba con estupor mezclado de indignación la terrible situación en que se encontraban en aquel país al que habían confundido con Sudamérica, y era realmente Africa. El continente misterioso y a la vez lleno de terribles peligros hasta para los más expertos exploradores, cuanto más para inexperimentados náufragos entre los cuales se encontraba una mujer y un niño de corta edad. Todavía no sabía cómo explicarse el joven grumete, que el *Pilgrim* hubiera llegado a aquella desconocida y peligrosa costa africana en que pocas semanas antes había puesto sus plantas apremiados por las exigencias de las extraordinarias circunstancias. Dick Sand no podía explicarse, por ignorar la maniobra llevada a cabo astutamente por Negoro, alterando la aguja de marear, cómo el ballenero dando la vuelta al cabo de Hornos habría pasado de un océano al otro, encontrándose con sus compañeros de desventura abandonados a su suerte en tierras africanas, en plena selva.

—¡Africa! ¡Africa! —repetíase el muchacho preocupadamente, mientras intentaba explicarse el porqué había ocurrido aquel cambio de ruta tan extraordinario del *Pilgrim.* De pronto, la luz se hizo en su inteligencia y comprendió las razones del sucedido: Ya me doy cuenta de todo lo ocurrido. Recuerdo que aquella noche, me despertó un grito dado por el viejo Tom y vi que... ¡Negoro estaba en la popa! ¡Sí, estaba él allí y en aquel momento se había caído sobre la bitácora! ¿Quién sabe si al mismo tiempo desvió la aguja de marear? ¡Es muy posible!

Por fin, Dick Sand comprendía toda la conducta ambigua, dudosa en el comportamiento extrañamente sospechoso de Negoro durante el viaje. ¿Quién era realmente aquel hombre? ¿Qué ocultaba aquel miserable y cuáles eran sus planes para llevar a cabo acción tan despiadada y cruel con cuantos viajaban en el bergantín goleta? Aquel hombre debía ser marino aunque lo había guardado oculto sin revelárselo jamás a nadie de la tripulación. ¿Era posible que su mente hubiese planeado tan vil maquinación y, además, llevado a la práctica sin el menor escrúpulo de su conciencia degradada?

Dick Sand entregado a sus atribulados pensamientos se daba plena y totalmente cuenta de la grave situación en que la traición incomprensible de Harris les había dejado. Pero, ¿por qué Harris había obrado con ellos de tal forma? ¿Acaso, Harris estaba de acuerdo con Negoro y obraban los dos de común acuerdo? Ya era sobrada ocasión para no dudarlo en vista de la ultimación de los acontecimientos. Pero ¿cuáles serían los proyectos del miserable Negoro respecto a la señora Weldon y su hijito, Jack?

La situación no podía ser más grave, pero el joven grumete poseía entereza de carácter a pesar de su juventud y no se acobardaba fácilmente. Así como había sido capitán a bordo del *Pilgrim* seguiría siéndolo en tierra. Corría bajo su responsabilidad la salvación de la señora Weldon, su hijo y los restantes componentes de la expedición que se hallaban en tan angustioso trance. Su tarea, por tanto, podía decirse que sólo había comenzado. Y estaba decidido firmemente a llevarle hasta su fin. Dick Sand después de tales reflexiones se irguió decidido y resuelto. Ya los primeros explendores del alba alumbraban de rojos crespones encendidos la luz de la nueva mañana extendiéndose sobre la intrincada selva africana. Todos los demás componentes de la expedición estaban sumidos en el sueño, durmiendo y recobrándose de las largas horas de fatiga de la jornada anterior.

El capitán Sand se aproximó al lugar donde descansaba el viejo Tom. Le despertó suavemente, llamándole:

—¡Tom, despierte! ¡Soy Dick, no se sobresalte.

El viejo le miró con perplejidad. Dijo:

—¿Qué ocurre, señor Sand?

—Usted descubrió el refugio del león y también el cuchillo y luego los despojos humanos.

—Sí, ¿por qué, señor Sand?

—No diga una sola palabra de lo ocurrido a la señora Weldon ni a los demás. Nada positivo lograríamos con hacerlo saber. Basta con nuestra preocupación de saberlo.

—Lo comprendo, señor. Así lo haremos. Guardaré el secreto.

El joven grumete prosiguió:

—Debemos guardar más vigilancia a nuestro alrededor que en ninguna otra ocasión, Tom. Nos hallamos en una tierra que nos es hostil y donde por ahora, sólo tenemos que enemigos. Sólo diremos que Harris nos ha traicionado con su abandono y esto bastará para que todos estén siempre en guardia sin saber realmente los motivos.

—Sí, señor. Sepa que puede contar con mi lealtad incondicional para todo.

—Lo sé y cuento con usted desde siempre para que me ayude a salvar y conducir hasta buen fin a todos nuestros compañeros, Tom.

—Cuente conmigo para todo, tal como anteriormente le he dicho, señor Sand.

La decisión tomada por Dick Sand consistía en lo siguiente: seguir avanzando por la ribera del río y llegar donde hubiera alguna posición o establecimiento portugués donde dejar a seguro y bien acogidos a todos sus compañeros. Y para llegar a tal finalidad escoger el camino más corto utilizando alguna corriente de agua utilizable para el traslado sin tantas fatigas como andando. Lo más apropiado sería seguir alguna de las pequeñas corrientes de los arroyos cuyas aguas rojizas indicaban la presencia del óxido de hierro. Era posible seguir tales arroyos hasta su desembocadura a afluentes más caudalosos que fueran utilizables. Este fue el plan concebido por Dick Sand después de haber cambiado impresiones con el viejo Tom. La determinación había sido ya tomada cuando los demás que componían el grupo expedicionario despertaron. El joven grumete consideró que aun a sabiendas de la impresión que la verdad iba a causar a todos era del todo necesario revelarles que no estaban pisando suelo boliviano sino africano y también revelarles el engaño y la traición que les había hecho Harris, el americano, al abandonarles a su suerte en plena selva africana. Tan pronto todos estuvieron en pie, Dick Sand les habló sin vacilación alguna:

—Es mi obligación participar a todos los que formamos parte de esta marcha que Harris ha dejado de acompañarnos como guía.

La señora Weldon preguntó sin sospechar todavía la verdad de lo ocurrido:

—¿Acaso se ha adelantado para prepararnos la llegada?

Dick Sand declaró sin rodeos:

—No, señora Weldon. Harris huyó, abandonando para siempre nuestro campamento, ayer noche. Esta es la verdad.

—Pero, ¿por qué lo hizo? —preguntó estupefacta la señora Weldon.

Dick Sand respondió:

—Ignoro los motivos de su comportamiento, señora. Lo único que sé es que nosotros debemos regresar cuanto antes a la costa.

La señora Weldon todavía bajo el efecto de la indignación que tan desagradable noticia le había causado, replicó:

—Ese hombre es... un vil traidor. Siempre desconfié de él. No me inspiraba confianza absoluta y, sin embargo, no contaba con pruebas con las que defender mi sospecha. Pienso una cosa, Dick... ¿es posible que ese sujeto haya obrado de acuerdo con Negoro? ¿Qué opinas?

—Así lo creo, señora Weldon. Negoro seguía nuestros pasos distanciado prudentemente. Pero los dos hombres por azar, o motivos que ignoro, se encontraron en esta tierra y obraron de acuerdo con sus secretos y desconocidos proyectos.

Hércules intervino prometiendo y deseando:

—Ojalá no se hayan separado todavía cuando yo les eche la mano encima, señor Dick. Entonces recibirán los guantazos más duros que hayan merecido en toda su larga vida de bribones.

La señora Weldon acarició a su hijo, lamentándose:

—¡Pobre hijo mío! ¡Tan deseosa que estaba de proporcionarle todos los cuidados necesarios en cuanto llegásemos a la hacienda de San Felice!

El viejo Tom dijo:

—El niño se restablecerá de las fatigas, señora. No tema. Tan pronto nos acerquemos al litoral se sentirá fortalecido.

—Pero, ¿es posible, Dick, que ese Harris nos haya traicionado?

—Sí. Huyó con su caballo. Todavía nos queda que recorrer algunas millas a pie y desearía, señora Weldon que...

—Entonces la quinta de que Harris nos hablaba... —dijo la señora Weldon adivinando la cruel verdad.

—No existe ni quinta, ni cortijo, ni hacienda ni aldea en los alrededores, señora. Preciso es decir esta verdad aunque nos duela mucho reconocerlo. No tenemos otro remedio que regresar hacia la costa.

—¿De nuevo desandando lo que recorrimos por la misma selva?

—No. Esta vez buscaremos algún río que nos conduzca a su desembocadura en el mar. Hay que ponernos en camino.

—Está bien, Dick. No te preocupes por mí. Soy fuerte y andaré lo que los demás y, además, llevaré a mi hijo. ¡En marcha, pues!

Pero Bat se adelantó a los otros negros y se ofreció:

—No será necesario, señora. Aquí estamos nosotros. Nuestros brazos tienen todavía fuerza para llevarla a usted y también al niño, descuide.

—Desde luego —aprobó Austin— con las ramas de algunos árboles construiremos unas angarillas para transportarles, señora Weldon.

—No, amigos. Os lo agradezco. Iré a pie. Todavía tengo fuerzas para ello. Así que en marcha, cuanto antes.

Dick Sand decidió abriendo la marcha:

—¡Todos en camino, amigos míos! ¡Adelante!

Comenzaron a andar al mismo tiempo que Hércules quitó de los brazos de Nan al niño, diciendo, sonriendo:

—¡Vamos, abuela, deme el niño! Cuando no tengo nada en los brazos me fatigo todavía más!

El primo Benedicto cuyas piernas de acero parecían incansables fue andando como los otros sin despegar los labios como todo el camino anterior. Sus ojos sólo estaban atentos a los insectos posibles de catalogar con su atenta y rápida mirada. ¿Había notado la desaparición de Harris? ¿Quién podría asegurarlo? Como fuera, él se limitaba a seguir tranquilamente a los demás y daba la impresión de que ni las más grandes catástrofes le asustaban lo más mínimo y se sentía totalmente indiferente a ellas. Había perdido sus gafas y su lupa lo cual constituía su única y gran preocupación. Todavía el grupo no había andado cincuenta pasos cuando, de pronto, el viejo Tom se detuvo preguntando:

—¿Y Dingo? ¿Qué ha sido del perro?

—¡Eso! —exclamó Hércules con sorpresa—: ¡El perro no está con nosotros, señor Dick! ¿Por qué?

El negro a grandes voces llamó al perro. Pero ningún ladrido le contestó.

Dick Sand permaneció pensativo y silencioso. La ausencia del perro le extrañaba y lamentaba su alejamiento porque su compañía siempre vigilante les hubiese advertido a tiempo contra cualquier peligro imprevisto por ellos. Tom le preguntó:

—¿Cree que el perro persiguió a Harris, señor Dick? Sería cosa muy posible.

—No creo que haya seguido a Harris; mejor haya perseguido los pasos de Negoro. Ya saben que le olfateaba a distancia reconociendo su presencia.

Hércules, con asombrosa intuición, preguntó súbitamente:

—¿Y si ese maldito cocinero le ha metido un balazo en la cabeza?

—Pudiera haber ocurrido, ciertamente —reconoció Dick Sand—. Pero es mucho peligro para Negoro enfrentarse con el perro, sin correr el riesgo de que le clave los dientes en la garganta. No podemos seguir aguardando al perro. Hay que proseguir la marcha. Por otra parte, si el perro está vivo sabrá dar con nosotros. ¡En marcha, amigos!

Siguieron caminando. Durante un par de millas siguieron el curso del riachuelo que sin duda debía desembocar en algún río más importante. Su único deseo era poder depositar a sus compañeros en la corriente de algún curso fluvial.

Hacia mediodía, tomaron un descanso antes de seguir la marcha. Acamparon en una espesura de bambúes que cobijó totalmente el grupo. La señora Weldon no sentía apetito alguno y sólo estaba pendiente de su hijito.

—Señora Weldon —le dijo Dick Sand—. Es preciso que tome usted algo. Es necesario reponer fuerzas para salir con bien de la situación en que nos vemos. Debe comer lo mismo que todos nosotros, de lo contrario no podrá ocuparse ni de su hijo.

Los ardientes ojos del muchacho infundían valor a la señora. ¿Por qué entonces se abandonaba a la desventura y a las fatigas de tanta adversidad? La traición de Harrris no debía preocuparla tanto. No estaba sola; sus compañeros de viaje velaban por ella y por el niño. ¿Entonces, qué le ocurría? Dick Sand adivinaba cuáles eran los pensamientos que abrumaban a la pobre señora y cuando iba a abatir la cabeza, afligido, entonces...

Capítulo III

ANGOLA, TIERRA PELIGROSA

En aquel preciso instante, el pequeño Jack despertó y rodeó a su madre con los brazos rodeándole el cuello. Se dio al niño, víctima del calor y la fatiga de aquellos crueles días, un poco de agua fresca.

—¿Dónde está mi amigo Dick? —preguntó vivamente.

—Aquí me tienes, Jack. A tu lado, como siempre.

—¿Y el valiente Hércules?

El gigante negro respondió mostrando su blanca dentadura al sonreírle:

—Aquí me tiene a su lado, señorito Jack.

—No veo el caballo. ¿Dónde está el caballo? ¿Dónde?

—El caballo se fue, señorito Jack. Ahora —añadió el negro que lo llevaba en brazos—, el caballo soy yo.

—¿Y la hacienda del señor Harris?

—No falta mucho para llegar a ella, hijo mío. Pronto estaremos a su sombra. Pronto, hijito...

—Señora, Weldon, ¿quiere usted que prosigamos la caminata o que nos detengamos todavía unas horas?

—No, Dick. De ninguna manera. Sigamos adelante. ¡En marcha!

La marcha fue reanudada en el mismo orden que anteriormente. Aquel día, a las tres de la tarde, la naturaleza del terreno se modificó notablemente. El suelo, aparecía más pantanoso, alfombrado de espeso musgo recubierto de helechos. Se encontraron con una elevación cubierta de hematites oscuras, que eran los últimos afloramientos, probablemente, de algún rico yacimiento mineral.

Dick Sand recordó entonces las lecturas de los viajes llevados a cabo por Livingstone y en los que en más de una ocasión, le había faltado muy poco al doctor para hundirse irremediablemente en terrenos parecidos que eran pantanosos. Por este motivo, Dick Sand advirtió a todos los demás:

—¡Cuidado, amigos! Observen bien el suelo antes de seguir caminando. Estos terrenos son peligrosos.

—Es cierto —reconoció el viejo Tom—, estos terrenos parecen haber sido empapados por un fuerte aguacero y sin embargo, sabemos perfectamente todos nosotros que durante días no ha llovido.

Bat señaló el espacio y añadió, observando:

—No ha llovido, pero adviertan en el espacio que la tormenta no está muy lejos.

—Motivo más que bastante para que nos demos prisa en franquear estos terrenos lo antes posible pero con la máxima seguridad evitando imprudencias temerarias. Usted, Hércules, tome en brazos al pequeño Jack. Bat y Austin irán uno a cada lado de la señora Weldon, con objeto de sostenerla en caso necesario. Y en cuanto al señor Benedicto... ¡Eh...! ¿Qué está usted haciendo, señor Benedicto?

El primo Benedicto sin asustarse respondió tranquilo comprobando la realidad de lo que decía:

—Me estoy hundiendo, señor. Esto es lo que estoy haciendo.

En efecto, el pobre hombre se había metido de pies en una especie de lodazal sin que nadie lo advirtiera y poco a poco se había visto hundido hasta la cintura. Cuando le sacaron del lodazal una gran cantidad de burbuja ascendió desde el fondo hasta la superficie que, al reventar, desprendieron un gas de olor sofocante. Livingstone que en algunas ocasiones se encontró hundido hasta el pecho en aquella especie de pozos de limo.

comparaba tales parajes a una especie de conjunto de superficie esponjosa color oscuro de una porosidad tal que a la simple pisada brotaban bajo el pie infinitos hilos de agua.

Durante media hora, Dick Sand con sus compañeros tuvieron que avanzar por aquel terreno tan peligroso. Era tan penoso que hasta la señora Weldon tuvo que detenerse en varias ocasiones pues se hundía hasta la mitad de las piernas en aquel horrible barrizal fangoso y líquido. Afortunadamente, Bat y Austin deseando evitarle la enojosa marcha, improvisaron unas parihuelas con la que la trasladaron sin que tuviera que poner los pies en el suelo esponjoso. Su hijo Jack le fue colocado entre los brazos y así siguieron adelante, hasta conseguir vadear aquel pestilente pantano, hacia las cinco de la tarde.

El suelo recobró su firmeza, formado por tierra arcillosa pero continuando húmedo bajo su superficie que aparecía seca y endurecida. No cabía duda de que aquellos terrenos correspondían a varios ríos subterráneos que filtraban sus aguas a través de la tierra hasta llegar a la superficie.

El calor se volvió abrumador, pero por fortuna unas nubes tormentosas se interpusieron entre la tierra y los abrasadores rayos solares.

De pronto, lejanos relámpagos culebrearon zigzagueantes en el espacio, mientras las nubes comenzaban a reventarse desgarradas brutalmente por el ensodecedor y bronco retumbar de los truenos. Dentro de bien poco estallaría la tormenta.

En el continente negro esta clase de cataclismos suelen ser de efectos teribles. Se desencadenan lluvias torrenciales, se dispersan ciclones devastadores que arrancan de cuajo a los árboles y la enconada lucha de todos los elementos entran en juego. El joven grumete no lo ignoraba y se inquietó intensamente. Podía ocurrir que se inundara la llanura y ésta no ofrecía paraje alguno donde guarecerse de la inundación que todo lo llevaría a su paso.

Hacia el norte aparecían una serie de colinas poco elevadas que limitaban la pantanosa llanura. También en ellas se precisaban algunos árboles. Tal vez aquel punto ofreciera alguna posibilidad de salvación que en el lugar donde se encontraban se carecía totalmente.

—¡Adelante, amigos! ¡Adelante! —animó Dick Sand a sus compañeros—. Tres millas más solamente y estaremos seguros.

—¡Valor! ¡Valor! —gritaba a todos el fornido Hércules ayudando ora a unos, ora a otros.

Cuando se desancadenó la tormenta todavía faltaban dos millas que recorrer para llegar a la zona de más elevación. Los primeros relámpagos alumbraron todo el paisaje de lívidas claridades impresionantes. Todo el aparato eléctrico se desbordó antes de que las lluvias se abatieran sobre la tierra. Después la oscuridad se hizo casi total. Los relámpagos trenzaban veteadas redes que cubrían todo el paisaje de fulgores azulados y rojos.

En distintas ocasiones Dick y sus compañeros estuvieron a punto de ser fulminados por la gran cantidad de rayos mientras seguían avanzando. Jack buscaba protección y seguro refugio entre los brazos de Hércules, en tanto que el negro avanzaba firme con largos pasos, infundiéndole valor con sus palabras:

—No hay que dejarse dominar jamás por el miedo, señorito Jack. Verá como no pasa nada. Yo daré un puñetazo a un trueno y lo reventaré como a un globo de papel. ¡Soy mucho más fuerte que los relámpagos y los truenos! ¡No tenga miedo alguno!

La fuerza del atlético negro consolaba al niño. La lluvia ya no podía tardar en desencadenarse en verdaderos torrentes líquidos. Dick Sand se detuvo unos segundos junto al viejo Tom, con expresión preocupada e interrogante:

—¿Qué hacemos, Tom? ¡Si no hallamos lugar donde guarecernos todo estará perdido!

El viejo Tom decidió:

—Hay que continuar nuestro camino, señor Dick. No podemos vacilar o estaremos perdidos irremediablemente. En cuanto se desencadenen las aguas la llanura se convertirá en un pantano, señor.

Julio Verne

En aquel instante, la claridad del trazo de un relámpago alumbró todo. Dick Sand gritó:

—¡Santo Dios! ¿Qué es lo que he visto, a un cuarto de milla escasamente?

Tom, apoyó:

—¡Sí, señor Dick, también yo lo he visto! ¡Y no es una ilusión de los ojos! ¡Es un campamento! Pero, un campamento de... indígenas.

Dick Sand decidió:

—¡Que nadie se mueva de aquí, Tom! ¡Voy a comprobarlo personalmente y regreso en seguida!

—¡Deje que le acompañemos algunos de nosotros, señor!

—No. Iré solo. Aguardad mi regreso, amigos.

El joven y valeroso grumete desapareció rápidamente en la oscuridad. En aquel momento se acercó al grupo que se había detenido, la señora Weldon.

—¿Qué ocurre, Tom?

—Señora, hemos visto un campamento de nativos y el señor Dick ha ido solo para ver si realmente hay alguna posibilidad de refugio en él.

Unos minutos más tarde, Dick Sand estaba de regreso.

—¡Pronto, síganme! —gritó.

Tom, mientras le iba en pos, preguntó:

—¿Está abandonado el campamento?

—No se trata de un campamento— aclaró Dick mientras andaba en cabeza apresuradamente porque la lluvia no tardaría en caerles encima. Y añadió—: ¡Es un grupo de hormigueros!

Aquellas palabras parecieron despertar de su letargo al primo Benedicto que repitió con admiración apretando el paso:

—¿Unos hormigueros!

—Sí, son hormigueros pero de una altura de unos diez pies, en los que nos refugiaremos mientras dure la tempestad.

Pero, el primo Benedicto esfumó todo su anterior entusiasmo cuando los describió:

—Siendo así se trata de los hormigueros que construyen los térmites belicosos o el térmite devorador, amigos. Levantan construcciones que despertarían la envidia de muchos envanecidos arquitectos que se consideran así como geniales.

Dick Sand no se dejó impresionar. Decidió:

—Sean o no térmites, señor Benedicto, hay que sacarlos de sus viviendas para que nos sirvan a nosotros de refugio.

—¡Le digo, señor Dick, que nos devorarán y además, con perfecto derecho por deshauciarles sin razón. Lo que quiere hacer es un lanzamiento.

—¡Vamos, todos en marcha! ¡Rápidos! —mandó Dick Sand con energía y temiendo que la señora Weldon hubiese oído las últimas observaciones hechas por el entomólogo.

Arreciaba de pronto un viento huracanado y furioso barriendo la llanura desnuda. Las cosas tomaban un cariz tan horrible que, por temor que pudieran inspirar los térmites, no había tiempo para vacilaciones de ninguna clase. Seguir por más tiempo en el llano pantanoso equivalía a una sentencia de muerte a corto plazo. El ciclón iba a desatarse de un instante a otro.

Llegaron a uno de los conos que se erguía en la llanura solitaria y desamparada. Estaba hecho con una especie de arcilla rojiza y disponía de un agujero pequeño que Hércules, con su cuchillo, se apresuró a engrandecer rápidamente hasta dar paso a un hombre de estatura normal. El cono, con gran sorpresa del primo Benedicto que no lo esperaba, estaba vacío, desocupado. Ni uno de los térmites que debían ocuparlo aparecía en su interior. El hormiguero estaba vacío. ¿Por qué motivos? ¿Estaba abandonado?

Una vez más ensanchado el agujero, Dick Sand y sus amigos se deslizaron por él penetrando en su interior. Hércules fue el último en entrar cuando comenzaba a diluviar sobre la llanura y de pronto era rasgado por múltiples relámpagos.

Pero ya no había que temer. La casualidad providencial había ofrecido al grupo de personas que andaban perdidas por tierras africanas un seguro refugio contra el temible ciclón que iba a desencadenarse.

El cono que les servía de acogedor refugio era uno de esos que construyen los pequeñísimos térmites, y que, según definición del teniente Camerón, son tan admirables o más todavía que las mismas pirámides egipcias construidas por la mano del hombre. Comparativamente explicaba: "es como si un pueblo hubiese levantado el monte Everest, una de las montañas más altas de la cordillera del Himalaya".

Y la comparación era feliz y muy aceratda .

Capítulo IV

UNA POSIBLE TUMBA...

El cono tenía cabida sobrada para todos ellos, pero, hacia las once, Dick Sand notó que el cansancio le abrumaba y se apoderaban de él unos deseos incontenibles de sumirse en el sueño. Iba a entregarse al descanso cuando, de pronto, algo alumbró en su mente, alertándole. Comprendió la posibilidad de que una vez empapado totalmente el montón de arcilla, por la propia disolución de la tierra, se corría el riesgo propable de que quedase obstruido el agujero de la parte inferior. Si el paso del aire quedaba interumpido, la respiración de una decena de personas, bien pronto se haría imposible y la atmósfera, rápidamente quedaría saturada de anhídrido carbónico, ocasionando la muerte por asfixia.

Observó el pavimento y vio que este estaba seco y el orificio no estaba obturado como había temido. El aire penetraba libremente en el interior del cono construido por los diminutos térmites. Llegaban hasta el interior los estruendos de los truenos y fugitivos esplendores de los relámpagos en la desatada tormenta del exterior .

Ningún peligro, por lo menos inmediato, parecía amenazar la existencia de los que dentro del cono se habían cobijado.

Tranquilizado después de sus observaciones, Dick Sand se

echó en el suelo y se dispuso a descansar. El sueño le ganó bien pronto. No sabía cuánto tiempo llevaría dormido cuando le despertó la sensación inequívoca de humedad y frío. Al despertar notó con gran inquietud que el suelo era invadido por el agua con gran rapidez. Inmediatamente despertó a los demás poniéndoles al corriente de aquella nueva dificultad.

La linterna que fue encendida alumbró el interior del cono. El agua había ascendido hasta una altura de unos cinco pies pero se hallaba estacionada.

La señora Weldon preguntó ansiosamente:

—¿Qué es lo que ocurre, Dick?

—Poca cosa, señora —respondió el grumete evitando alarmarla—. La parte inferior del cono se ha llenado de agua, debido probablemente a que alguno de los ríos cercanos se ha desbordado.

—Lo cual pone de manifiesto la cercanía del río —dijo con optimismo Hércules.

—Así es, señora Weldon. Cálmese. El agua no puede alcanzar a ninguno de ustedes.

La señora Weldon no contestó nada. El primo Benedicto dormía como un bendito y no se enteró de nada de lo que estaba ocurriendo. Los demás aguardaban a que Dick hubiese tomado la altura del agua y decidiera qué hacer. El viejo Tom preguntó entonces:

—Señor Sand, ¿el agua ha entrado por el orificio?

—Sí, Tom. Lo grave es que ahora impide el agujero llenado por el agua, la ventilación y la entrada de aire del exterior.

El viejo se quedó pensativo unos instantes, después sugirió inteligentemente:

—Por qué no hacemos un agujero en el muro del cono a una altura superior a la que ha alcanzado el agua?

—Sí, Tom. Pero hay que tener en cuenta que si dentro el agua alcanza una altura cinco pies, en el exterior habrá llegado a seis o siete...

—¿Qué podemos hacer en tal caso, señor Dick? ¿Qué se le ocurre a usted?

　　　　　　　　　　　　　　　　　　　Julio Verne

—Hay que pensarlo debidamente. Una imprudencia nos costaría indudablemente la vida a todos —decidió Dick.

Poco después, hacia las tres, el viejo Tom observó que el nivel del agua interior había ascendido otro poco.

—Ello es debido —explicó Dick— a que la presión exterior es más alta, lo cual indica al mismo tiempo que también la crecida en el exterior ha subido de nivel.

Bat intervino, ofreciéndose:

—¿Quiere que yo salga del hormiguero, señor Dick?

—Será mejor que pruebe yo la experiencia —dijo Dick Sand.

Pero el viejo Tom objetó con viveza:

—No lo haga usted, señor Dick. Deje que sea mi hijo quien lo lleve a cabo. El es muy fuerte y además diestro en todo. Y en caso de que él no pueda regresar siempre será usted mucho más útil aquí.

—Está bien que lo pruebe. Oiga, Bat. Si el hormiguero está totalmente sumergido no trate de volver a entrar. Nosotros saldremos detrás de usted nadando. Dado el caso de que el vértice del cono sobresalga del agua, entonces procure golpearlo hasta abrirle agujero para que el aire entre libremente. Nosotros, por nuestra parte le ayudaremos a provocar el hundimiento. ¿Me ha comprendido?

—Naturalmente. señor Dick.

El viejo abrazó a su hijo y le decidió:

—Vete, hijo, y que Dios te proteja.

Bat hizo una fuerte aspiración de aire y seguidamente salió por el agujero sumergiéndose en la masa líquida del suelo y buscando la salida al exterior. La dificultad consistía en encontrar la abertura de salida, deslizarse por el agujero y salir a la superficie. Además era preciso realizar la operación con gran rapidez.

Transcurrieron un par de minutos. Bat volvió a aparecer.

—¿Qué ocurre? —preguntó Dick.

—El agujero de salida está lleno de escombros arastrados por el agua.

—¡Mala suerte!

—La verdad de lo ocurrido, creo yo —prosiguió el negro—, es que el agua debe haber obstruido el paso al desleírse la arcilla. He buscado con la mano en la pared y se diría que el agujero ahora no existe.

Estaban al parecer encerrados dentro del cono sin posibilidad inmediata de salida. Entonces, dijo Hércules:

—Haremos otro agujero.

Pero, Dick Sand negó con la cabeza. Dijo:

—No. Procederemos de otra manera. La cuestión estriba en saber si el agua cubre el hormiguero o no. Abriremos una pequeña abertura en el vértice del cono y sabremos lo que ocurre. Si el hormiguero estuviese ya sumergido el agua lo invadiría todo, y ya no habría salvación posible para nosotros. Procedamos tanteando con mucho cuidado. Será lo mejor.

—¡Sí, señor Dick, pero habrá que darse mucha prisa!

La apremiante observación del viejo Tom tenía sus fundados motivos. El agua iba subiendo de nivel. Todos, a excepción de la señora Weldon, el niño, el primo Benedicto y la vieja Nan, todos estaban con agua hasta la cintura.

No había tiempo que perder.

Dick Sand empleó la baqueta del fusil para abrir agujero en la pared del cono. Si el agua rebasaba la señal habría que probar otra vez más arriba hasta que si no entraba el agua indicaría con seguridad que el cono no estaba sumergido en el agua exterior.

Con la linterna, Hércules alumbraba a Dick en la perforación que cuidadosamente llevaba a cabo. Cuando la baqueta hubo profundizado se advirtió que hasta aquella altura el agua exterior alcanzaba.

—Es preciso volver a perforar más arriba —indicó el grumete.

Pero mientras efectuaba su labor, de pronto se vio interrumpido por la exclamación de asombro del primo Benedicto y sus palabras que siguieron:

—¡Caramba! ¡La causa de lo que ocurre es ésta...!

Hércules dirigió la luz de la linterna alumbrando al entomólogo. Dick preguntó:

—¿Qué es lo que pasa, señor Benedicto?

—No hay ninguna duda, amigos. Los térmites son muy inteligentes... fue por este motivo que abandonaron el hormiguero... Habían presentido la inundación. ¡Son más inteligentes que nosotros! ¡No hay duda de ello! En cambio nosotros hemos caído en la trampa.

Dick Sand volvió a sacar la baqueta. El resultado de nuevo había sido negativo. ¿Estaría el cono sumergido por completo debajo del agua?

Entonces decidieron abrir un agujero en lo alto del cono. Comenzaron a profundizar. Dick Sand le dijo a la señora Weldon, con serenidad:

—Señora Weldon, ya habrá advertido cuál es nuestra situación. Si proseguimos encerrados acabará faltándonos el aire para respirar. Por tanto hay que intentarlo todo. Y es lo que estamos haciendo.

En aquel momento decidieron apagar la linterna cuya combustión enrarecía todavía más el aire del interior del cono. Todo quedó en completa oscuridad.

Dick Sand encaramado en los hombros de Hércules prosiguió el trabajo, hundiendo la baqueta profundamente en la arcilla. De súbito al efecto del agujero se dejó oír en la oscuridad un agudo silbido. ¡Era el aire que entraba! ¡Por lo tanto la cima del cono emergía de la superficie del agua! ¡Estaban todos salvados!

Una exclamación de triunfo sonó en el interior del hormiguero abandonado precavidamente por los maliciosos térmites. Al punto, Dick Sand secundado por los demás, que emplearon sus cuchillos comenzaron la obra de derribar el casquete del cono. Poco después el aire exterior entró en oleadas. Una vez descubierto el vértice del cono sería cosa fácil encaramarse y salir al exterior. Dick Sand fue el primero en asomar a la boca del cono y, de pronto, dio un grito.

Algo silbó en el aire. ¡Era una flecha!

Dick Sand tuvo el tiempo preciso de descubrir sobre el agua que invadía la llanura, a unos diez pasos del cono, unas lanchas llenas de indígenas.

De una de aquellas lanchas había partido la flecha disparada por el arco de uno de los tiradores, en el momento en que había asomado la cabeza por el agujero.

Al punto, Dick Sand, requiriendo su fusil y secundado por sus compañeros que asomaban a la boca del cono, hicieron uso de las armas abriendo fuego. Varios de los indígenas cayeron alcanzados por las balas y, los otros, haciendo uso también unos de sus arcos y los otros de sus armas de fuego replicaron a la primera andanada.

¿Qué podían hacer los que estaban refugiados dentro del hormiguero contra un centenar de africanos que en sus lanchas les rodeaban por todas partes disparando sus armas contra la boca del cono?

Antes de que fuese posible evitarlo, saltaron de las lanchas al hormiguero se precipitaron al interior apresándolos brutalmente a pesar de la resistencia de que fueron objeto. Poco después eran sacados y metidos en las lanchas con los remeros indígenas. En una de las lanchas, separados de los otros, fue colocada la señora Weldon con su hijo y el primo Benedicto. Sin duda, el ataque al hormiguero había sido planeado por ordenes ajenas a los que iban en la lanchas y obedecía a algún plan establecido, porque de lo contrario difícilmente los indígenas se hubiesen contenido sin dar muerte a los que habían acabado con la vida de varios de los que iban en las barcas con sus disparos.

Las seis lanchas llevándose a los cautivos se alejaron movidas por los remos. Minutos más tarde el recorrido en ellas había tocado a su final. Cuando atracaban la barca en la que iba Dick Sand con sus compañeros, de pronto, Hércules pegó un salto a la orilla y comenzó a correr huyendo. Algunos indígenas corrieron hacia él hasta darle alcance. Entonces, Hércules se revolvió con presteza y se apoderó del fusil de uno de ellos. Con celeridad empleándolo como una maza golpeó con la culata a los que querían prenderle. Sus golpes fueron mortales. Los tres indígenas alcanzados cada uno por un golpe cayeron con los cráneos destrozados en el suelo. Hércules reemprendió la huida consiguiendo escapar. Desapareció a lo lejos,

entre la arboleda, mientras una granizada de balas le perseguía inútilmente.

Dick Sand y sus compañeros de infortunio, después de haber sido desembarcados, fueron inmediatamente encadenados. Desde aquel momento quedaban convertidos en simples esclavos. Iban a formar los largos cortejos de las reatas de esclavos en el tráfico que se desarrollaba en aquella zona africana.

Capítulo V

LOS TRAFICANTES DE EBANO

La inmensa llanura africana de aquella región habíase convertido por efectos de la terrible inundación en un lago cambiando en tan breve tiempo toda la fisonomía del interior paisaje. Todavía una veintena de hormigueros construidos por los térmites asomaban sobre la superficie del agua como casquetes de barro formando los únicos puntos salientes, igual que diminutas cimas de montes sumergidos.

La causa de la gran inundación había sido motivada por el desbordamiento del río Coanza, salido de madre por sus numerosos afluentes que habían engrosado considerablemente su caudal, durante la tormenta.

El Coanza es uno de los ríos de Angola que desemboca en el océano Atlántico, a una distancia aproximada de cien millas del lugar donde el *Pilgrim* había chocado contra los arrecifes.

Este mismo río era el que años más tarde debía vadear el teniente Camerón, antes de llegar a Benguela. En aquella zona de la colonia portuguesa, el río Coanza estaba destinado a convertirse en el único vehículo de tránsito interior, como un largo camino fluvial por aquella parte del país. Su curso inferior era surcado por embarcaciones y no iban a transcurrir una década sin que lograsen remontarse hasta la zona superior. Aquél pues, era un río navegable y Dick Sand no había obrado ilógicamente al haberle elegido para sus propósitos de regresar a la costa siguiendo su curso.

El riachuelo cuyo curso habían seguido iba, efectivamente, a desembocar en el Coanza. La elección, pues, había sido acertada. De no haber sido atacados y hechos cautivos por las lanchas habrían conseguido llegar hasta el Coanza y luego llegar a la zona inferior del mismo donde transitaban los *steamer* en los que hubiesen embarcado. Pero la suerte habría, una vez más, dado un brusco cambio.

En una altura vecina al lugar donde habían sido apeados de las lanchas se alzaba un sicomoro gigantesco que habría podido cobijar a unos quinientos hombres bajo su amplio follaje y a su sombra. Es necesario haber visto a uno de esos árboles africanos para hacerse idea real de su descomunal tamaño y proporciones asombrosas. Sus ramas llegan a formar un espeso boscaje entre el cual es posible perderse un hombre. Alejados, unos bananos completaban el paisaje donde habían sido trasladados Dick Sand y sus compañeros de cautiverio.

Bajo el sicomoro se ocultaba perfectamente toda una caravana que estaba a la espera para proseguir su viaje. La misma que Harris había anunciado a Negoro en su entrevista. Un nutrido conjunto de indígenas se hallaba bajo el sicomoro aguardando para trasladar a los esclavos hasta el mercado de Kazonndé, uno de los núcleos principales de Angola por la trata de esclavos, y donde se procedía a la selección de los cautivos y venta para ser destinados a los distintos puntos del litoral del oeste a Nangüe, región de los grandes lagos, desde donde eran enviados en interminables viajes y caminatas mortales hacia el Alto Egipto o a las factorías de Zanzíbar para su explotación inhumana.

Una vez en el campamento fueron añadidos a los otros infelices que componían la humillante condición de esclavos. Apresados dos a dos por la garganta con una pértiga de unos seis pies de largo y de extremos ahorquillados y cerrada por una barra de hierro se veían obligados a caminar formando línea, uno detrás de otro con la consiguiente incomodidad del principio y sufriendo prolongado en lo sucesivo.

Bajo el ramaje del sicomoro se reunía una caravana de hombres compuesta casi por unos ochocientos seres humanos, quinientos de ellos esclavos de ambos sexos y de todas las edades, sometidos a la vigilancia de unos trescientos soldados entre porteadores, guardianes, *havildars,* agentes de los tratantes y jefes africanos.

Todos ellos eran de origen netamente árabe o portugués y ejercían las más abominables crueldades en los cautivos, a los que golpeaban brutalmente por naderías o caprichosamente y daban muerte durante el camino, a cuantos caían agotados y quitaban toda posibilidad de ser vendidos, eliminándolos a golpes de hacha, a cuchilladas o de un balazo a la cabeza. Cuando la caravana solía llegar a su destino, se había perdido el cincuenta por ciento de la mercancía humana. Sólo algunos afortunados conseguían fugarse burlando la vigilancia de que eran objeto.

Los soldados que acompañaban a los cautivos eran generalmente sujetos pagados por los tratantes. Los reyezuelos negros cometían toda clase de *razzias,* con tal de enriquecerse más con la venta de esclavos; con tal objeto desencadenaban guerras atroces con sus vecinos movidos con el solo objeto de reducir a esclavitud a los vencidos, hombres, mujeres y niños que luego vendían como mercancía que les proporcionaba saludables beneficios, con los que adquirían pólvora, armas y municiones, perlas rosadas, yardas de indiana o, como explica Livingstone, en épocas de hambre, por unos simples puñados de maíz por un esclavo. En aquella época, los ejércitos africanos estaban integrados por auténticos bandoleros, asesinos armados, medio desnudos. Escoltas semejantes eran las que acompañaban el penoso cortejo de los cautivos reducidos a menos dignidad y estima que una bestia de carga, tan desnudos como animales, convertidos en rebaño humano y doliente, atormentado por las llagas producidas por el látigo de los *havildars.* En todas ocasiones, tanto durante la marcha como en los breves descansos, los esclavos eran estrechamente vigilados por sus guardianes.

Dick Sand se aferraba a la idea de volver a encontrar a la señora Weldon, con su hijo y el primo Benedicto. Deseaba y creía que la marcha de la caravana puesta en camino no podía prolongarse ni ir muy lejos, guiado por las numerosas veces que oía a guardianes y jefes pronunciar el nombre de Kazonndé. Por sus conocimientos geográficos, el joven grumete no ignoraba que dicha ciudad era uno de los puntos más importantes en la trata de esclavos de toda Africa, que éste era el lugar a donde eran conducidos los que componían la caravana en marcha. Pensó que una vez allí se decidiría el destino de los cautivos y el lugar a que debían ser conducidos para su explotación. Y en sus deducciones Dick Sand no andaba equivocado.

Por su parte, el viejo Tom con su hijo Bat, lo mismo que Austin y Acteón, andaban aparejados por el respectivo y humillante yugo de la esclavitud en el extremo final de la comitiva. Poco a poco Dick Sand fue disminuyendo la marcha de forma que se fue rezagando con objeto de unirse a sus compañeros, para cambiar impresiones con todo disimulo sobre su actual y futura situación que les aguardaba en Kazonndé. Fue acercándose a ellos con este propósito, pero en aquel momento uno de los guardianes como si hubiese adivinado su intención, se echó sobre él. A los gritos del *havildar* acudieron una decena de soldados y arrojaron al cautivo brutalmente adelante. Dick Sand no pudo reprimir su furia. Encolerizado y lleno de coraje se arrojó sobre el guardián consiguiendo arrebatarle el fusil, pero un grupo de soldados se arrojó sobre él, de no ser que en aquel instante uno de los jefes de la caravana llamado Ibn Hamis, no hubiera intervenido enérgicamente. Aquel árabe era el hombre de quién Harris había hablado a Negoro que les estaba aguardando para poner en marcha la caravana en cuanto se unieran con Ibn Hamis.

Inmediatamente, los soldados cumpliendo las órdenes de Ibn Hamis soltaron a Dick Sand y se limitaron a vigilarle en lo que quedaba de camino.

¿Por qué el jefe árabe había intervenido tan prestamente, enojado por el trato que los soldados africanos habían dado al muchacho blanco? Dick Sand no dudaba lo más mínimo de que Ibn Hamis obraba bajo las indicaciones que le habían sido dadas por Negoro.

La caravana de esclavos proseguía en tanto su marcha. De pronto de todo aquel dolorido cortejo sumiendo en la más baja condición humana del cautiverio, brotó un cántico que se elevó en el espacio. Era una canción lenta, saturada de tristeza, resignación y fatalismo. Sólo en ella quedaba una rendija abierta a la esperanza y sus palabras cantadas por todos, mujeres, hombres, y murmurada por las débiles voces de los niños decían:

> *Me conducís a la costa, ¡ay de mí! ¡ay de mí!*
> *pero cuando muera, se romperá mi yugo,*
> *¡ay de ti!, ay de ti! porque libre seré*
> *y volveré para matarte, yo, el esclavo.*

Capítulo VI

LAS NOTAS QUE ESCRIBIO EL GRUMETE

Durante la marcha, el viejo Tom hizo saber la verdad a sus compañeros. Por él supieron que se encontraban en Africa, como la presencia de los otros negros africanos bien evidenciaba aunque también en América del Sur los había a millares bajo el sistema esclavista. También les comunicó la traición de que habían sido objeto por parte del americano Harris que les había conducido hacia el interior del país sin otro fin que de entregarlos a los traficantes de esclavos que ahora eran sus dueños y de los que no había que esperar piedad alguna. Nan, la vieja criada negra de la señora Weldon, no había sido tratada de mejor forma. La pobre anciana andaba pesarosamente sin otra idea en su mente que pensar qué habría sido de su ama y del niño. "¿Qué suerte habían corrido ambos?" se decía y su pensamiento sólo estaba ocupado pensando en el niño al que tanto amaba como si fuera suyo y lo echaba de menos como una abuela a un nietecito al que lleva demasiado tiempo sin prodigarle caricias y mimos. La pobre mujer iba encadenada junto a otra que llevaba a su lado a un niño pequeño y otro en brazos. La vieja Nan le pidió que se lo dejara llevar a ella en brazos para ayudarla en la fatiga de la marcha y la pobre madre se lo agradeció con lágrimas en los ojos. Nan, con su ayuda la libraba del cansancio, por efecto del cual ya casi había llegado a sucumbir, y a la vez de los crueles golpes que uno de los *havildars* le había dado.

En algunos lugares de la larga marcha, el terreno estaba lleno de arbolado entre el cual el interminable cortejo de infortunados desaparecía como un largo cordón de hormigas. Emprendían la marcha con el alba y sólo se detenían al mediodía para un corto descanso durante el cual se les repartía un poco de tapioca y algo de carne maloliente. Durante ocho días la marcha siguió avanzando. Cuando llegaban a las cercanías de Kazonndé más de veinte esclavos habían quedado muertos por el camino, abandonados. Leones, panteras y leopardos se disputaban los cadáveres de los infelices.

Durante aquellos aciagos días, Dick Sand escribió algunas notas en las que quedaban resumidas sus impresiones diarias, en aquel recorrido infernal, de una longitud de doscientas millas.

Del 25 al 27 de abril. — Hemos visto una aldea africana rodeada de una muralla formada por cañaverales. Los soldados han atacado el poblado ocasionando quince muertos. Los supervivientes han escapado. Han sido hechos dos prisioneros que han pasado a formar parte del cortejo de esclavos.

Durante el día que siguió vadeamos un río tumultuoso y embravecido de una anchura de unas cincuenta yardas, pasando por un puente flotante formado por troncos trabados con bejucos. Dos infortunadas mujeres que iban aparejadas a la misma horca se cayeron al agua desapareciendo ahogadas en el río. Una de ellas llevaba a su hijito en los brazos. Las aguas se tiñeron de sangre poco después de que hubieron aparecido los cocodrilos apresando codiciosamente a sus inocentes víctimas.

28 de abril. — Hemos cruzado un gran bosque de bohinias, son los árboles de monte alto que suministran la madera llamada de hierro a los portugueses.

Llueve mucho. El terreno es pantanoso. La marcha penosa y horrible.

Julio Verne

La pobre Nan lleva un niñito en brazos. Apenas puede con ella, la desventurada anciana. La esclava aparejada con ella, cojea dolorosamente mientras lagrimones de sangre resbalaban por su oscura espalda cruzada por los latigazos de los guardianes.

Durante la noche acampamos, por fin, bajo un baobab de flores blancas y follaje verde claro. ¡Cuánta flor sobre tanto sufrimiento humano! Los rugidos de los leones y leopardos reclaman desde las tinieblas los cuerpos esqueléticos de los esclavos que yacen exhaustos y moribundos. ¿Qué habrá sido de Hércules?

29 y 30 de abril. — Ha llegado el comienzo del invierno africano. El rocío es muy abundante. La estación lluviosa termina con el mes de abril pero empieza cada año en el mes de noviembre. Las llanuras todavía aparecen inundadas en sus grandes extensiones. Es un espectáculo triste e impresionante. Las fiebres procedentes de los terrenos pantanosos son conducidas por el viento del este. Por ahora todavía sin noticia alguna de la señora Weldon, su hijo y el primo Benedicto. ¿A dónde les conducirán y qué harán con ellos? Probablemente han precedido la marcha de la caravana adelantándose a ella. ¿Les conducirán también a Kazonndé? La inquietud me corroe respecto a su suerte. El pequeño Jack puede haber sido atacado por la fiebre. La región es muy insalubre y la enfermedad es su mejor obsequio. ¿Habrá muerto el pequeñuelo? ¡Dios no lo quiera!

Del 1 al 6 de mayo. — Cruzamos por lugares casi pantanosos. El agua, a veces, llega hasta la cintura. Algunos resbalan, caen y se hunden en el agua y el fango sin que que vuelvan a aparecer. Quedan sumergidos con su pareja. Miles de sanguijuelas merodean por doquier y muchas se pegan a la piel. Hay que seguir andando. A veces, los pies resbalan en las grandes hojas de plantas sumergidas en las que el agua y el barro recubren volviéndolas resbaladizas. Considerables cantidades de pequeños peces se revuelven en el agua. Resulta muy difícil encontrar un lugar apropiado para establecer el campamento de los esclavos. Seguimos andando en las tinieblas. Mañana por la mañana faltarán muchos de los esclavos. Habrán huido pero su fuga habrá sido conseguida por la piadosa muerte. Muchos quedarán para siempre bajo las aguas con sus cadenas. ¡Dios mío!

Un griterío horrible ha brotado de la oscuridad cuando por fin nos hemos tumbado junto a la orilla de un río. Después he sabido el motivo de los gritos. Unos cocodrilos han irrumpido en las tinieblas atrapando a varios esclavos entre sus poderosos dientes. ¡Qué gritos más horribles en tanto los anfibios se llevaban arrastrándolas a sus víctimas todavía con vida hasta las aguas donde a dentelladas fueron ahogadas. Los cocodrilos llevaron los cuerpos de sus víctimas a sus *terrenos de pasto,* agujeros donde guardan los despojos de sus víctimas apresadas hasta su corrupción parcial, pues no gustan de la carne hasta que está en estado de putrefacción.

7 y 8 de mayo. — Hoy han sido contadas las víctimas causadas por los cocodrilos. Veinte esclavos han faltado en el recuento.

He buscado a Tom y a sus compañeros. ¿Qué habrá sido de ellos? ¡Están vivos todavía...! ¡A Dios gracias, viven! Pero, ¿no sería preferible haber sucumbido a todas las miserias?

El viejo Tom, ahora va en cabeza del cortejo de esclavos. En el momento en que su hijo Bat ha dado un viraje con la horca, ha doblado el viejo la cabeza consiguiendo verme.

Inutilmente busco a la anciana Nan. ¿Habrá perecido durante esta noche?

Hemos pasado veinticuatro horas en el agua pero por fin hemos pasado el límite del agua y pisado sobre seguro distintos terrenos. ¿Cómo es posible que el ser humano posea tanta resistencia a todas las vicisitudes? Quizá está en esta fortaleza del ser humano a su capacidad de aguante, donde resida todo el secreto del progreso de la Humanidad... un lento progreso, ciertamente, pero al mismo tiempo notable en comparación con los oscuros y difíciles comienzos del ser humano.

Se han presentado casos de viruela en los componentes de la caravana. Los africanos la llaman *ndué.* Los enfermos no podrán seguir el camino de los que todavía no lo están. ¿Qué será de ellos?

9 de mayo. — Al amanecer se ha reanudado la marcha. No se admite ni tolera a los remolones. Los látigos de los guardianes y los culatazos de fusil dados por los soldados obligan a todo el mundo a proseguir andando o bien a caerse muerto. Los esclavos tienen el valor de las monedas por las que se les vende. Es por esto que se les obliga a seguir resistiendo o morir con objeto de que lleguen hasta el mercado donde serán vendidos y convertidos en dinero o mercancías apreciadas por el reyezuelo de Kazonndé.

Estoy rodeado de esqueletos vivientes. La voz no les sale del pecho. Están todos agotados. He visto a la vieja Nan. ¡Da lástima, la pobre! Ya no lleva al niñito en brazos, lo cual quiere decir que el pobrecillo ya no existe.

Cuando he conseguido llegar hasta la vieja Nan, me ha mirado y hasta después de centrar mucho su atención en mi rostro, no me ha reconocido. Por fin, ha dicho:

—¿Usted...? El señor Dick... ¡Oh, Dios mío! ¡No tardaré en morir!

Le dije:

—¡Valor! ¡Valor! ¡No hay que abandonarse a la desesperanza jamás, buena mujer!

Pero ella insistió:

—No me duele morir, lo que me pena es no volver a tener en mis brazos al pequeño Jack. ¿Qué habrá sido del pequeñuelo y de la señora Weldon, señor Dick? ¿Qué habrá sido de ellos? ¡Dios mío! ¡Dios mío, apiádate de mí!

Un fuerte tirón me separó de la pobre anciana. Era uno de los guardianes que había sorprendido nuestra conversación y se había apresurado a separarnos. Me revolví contra el brutal empujón que me dio y cuando iba a arrojarme sobre el guardián, ha aparecido el jefe árabe y ha hecho que el guardián me retuviera hasta dejarme en la última fila de la caravana. He oído que pronunciaba algo en su lengua y he reconocido entre sus palabras que repetía el nombre de...

—¡Negoro!

He comprendido que es a causa del portugués que se me trata de distinta forma que a los otros y no por mi condición de hombre blanco. ¿Qué es lo que se propondrá el ex cocinero hacer conmigo?

10 de mayo. —— En nuestra ruta hemos encontrado dos aldeas africanas. Las dos estaban incendiadas. Las chozas todavía ardían llameantes. La población debe haber escapado. Se ha efectuado una *razzia*. Los soldados han entrado pasando a cuchillo a los que quedaban, ancianos y mujeres desvalidas. Doscientos muertos ha sido el total de las víctimas. Y la cosecha quizás unos doce esclavos más para engrosar, poco a poco, la caravana.

Cuando ha anochecido nos han hecho detener cerca de unos árboles donde se ha extendido el campamento.

Algunos prisioneros consiguieron escapar la noche anterior logrando romper las horcas. Pero fueron apresados de nuevo y tratados en consecuencia con crueldad salvaje para atemorizar a los que pensaran probar mejor suerte. Distantes rugen panteras, leopardos y leones reclamando víctimas para satisfacer su hambre de carne.

Cuando estaba echado en el suelo mientras los demás dormían vencidos por la fatiga, de pronto, sorprendo entre las hierbas unos ojos que brillan. La noche es muy oscura. Los ojos vuelven a desaparecer y otra vez asoman entre la hierba mirando hacia mí.

De súbito algo salta en la oscuridad y sobre mí cuerpo. Una alegría indescriptible me invade al reconocer que aquel bulto lleno de vida, jadeante es el perro Dingo. ¡Dingo que ha acudido en mi busca! ¡Qué alegría!

¿Cómo habrá conseguido encontrarme? El animal afectuosamente, demostrando con ello su alegría me lame manos y rostro. La risa vuelve a mis labios desde muchos días. ¡Me siento muy feliz en mi desventura con la compañía del noble animal que no me ha olvidado! El perro se frota repetidamente contra mi cuerpo. De pronto comprendo lo que quiere darme a entender. Busco en su cuerpo y encuentro algo que lleva atado a su cuello. Es un pedazo de caña sujeta al collar, el collar en el que lleva grabadas las letras "S.V.". Las misteriosas letras que le puso su propietario.

En el interior de la caña hay un pedazo de papel escrito. Lo saco y leo:

> *Se han llevado a la señora Weldon y al pequeño Jack en una kitanda. Van acompañados de Harris y Negoro. También va con ellos el primo Benedicto. Dingo seguramente fue herido de una bala pues cuando lo recogí tenía una herida. Ya está curado. No perdamos la esperanza, señor Dick. No sólo no les he olvidado sino que sólo pienso en ustedes. Por este motivo hui, con el total deseo de ayudarles y serles más útiles a todos.*
>
> HÉRCULES.

Gracias a este mensaje inesperado me enteré de que la señora Weldon así como su hijo y el primo Benedicto están con vida. ¡Dios sea loado! Por la referencia de Hércules, respecto a la *kitanda* en que iba la señora comprendí que era conducida en una litera hecha de hierba seca suspendida a lo largo de un bambú, como una especie de hamaca. ¿Qué es lo que se proponía hacer Negoro con ellos?

Del 16 al 24 de mayo. — Las fuerzas se me agotan, pero tengo que seguir resistiendo para poder ser útil a su debido momento a todos mis compañeros. Estoy casi agotado. Ya han cesado totalmente las lluvias. El suelo se eleva en distintos niveles ascendentes hasta llegar a una planicie, donde el camino será más llevadero. Pero detrás de nuestros pasos van quedando un rosario de cadáveres de los que no pudieron resistir más y se tumbaron para siempre siendo rematados por los guardianes con golpes de hacha a la cabeza o de un certero disparo. Las fieras que siguen la dolorosa comitiva estarán satisfechas...

Algunos esclavos jóvenes mueren de repente, sin ser atacados por enfermedad alguna. Sobre tales casos, ya había contado el doctor Livingstone: "Se quejan del corazón. Se llevan las manos a él, y caen de repente. ¡El corazón les ha estallado! ¡Es lo que les pasa a los hombres acostumbrados a la vida libre, cuando se ven reducidos a la esclavitud sin preparación anterior alguna!"

Veinte esclavos que no podían seguir han sido asesinados por los guardianes a golpes de hacha. Entre tantos desventurados ha caído la pobre Nan. He tropezado con su cadáver al caminar y el corazón se me ha estremecido. Ella es la primera superviviente del *Pilgrim* a quien Dios por piedad ha llamado a su lado!

Espero todas las noches el regreso de Dingo, pero el perro que volvió a marcharse no vuelve, ha vuelto sin duda alguna al lado de Hércules después de traerme su mensaje y ahora siempre aguardo alguna nueva noticia. Hércules es prudente y sin duda no quiere exponerse sin motivo que lo justifique. Aguardo.

Capítulo VII

LLEGADA A KAZONNDE, MERCADO DE ESCLAVOS

Era el día 26 de mayo cuando la caravana de esclavos llegó a Kazonndé. Pero el cincuenta por ciento de cautivos habían muerto durante la interminable y agotadora marcha sembrada de tormentos.

A pesar de las numerosas pérdidas todavía lo que quedaba de todo el contingente de hombres cautivos representaba un buen negocio para los tratantes que se dedicaban a la venta de esclavos. Las demandas de esclavos eran numerosas y el precio de los esclavos iba a tener un alza en los mercados africanos en los que se realizaba la trata.

En aquellos tiempos Angola mantenía un floreciente comercio de negros con los que surtía a todos cuantos necesitaban de ellos para su explotación.

A pesar de que las autoridades gubernamentales se oponían a tan denigrante negocio, bien poco podían hacer para impedirlo pues eran muy numerosas las dificultades que tenían que vencer para ello.

A lo largo del litoral se alineaban barracones repletos de cautivos. Los pocos negreros que conseguían burlar a los cruceros de la costa no eran bastantes para embarcarlos rumbo a las colonias españolas del continente americano.

Kazonndé estaba situada a unas trescientas millas de la desembocadura del Coanza y era uno de los más importantes *lakonis,* o mercado de esta provincia angolesa. En su gran plaza llamada *chitoka,* se realizaban todas las operaciones comerciales con los negros capturados y convertidos en esclavos. Desde Kazonndé, partían todas las caravanas hacia las regiones de los grandes lagos, para ser conducidos hacia su triste destino. Como todas las grandes ciudades africanas, ésta se dividía en dos partes, la ocupada por los negociantes árabes, portugueses o indígenas y la otra que comprendía todo el palacio del rey negro, que solía ser algún feroz alcohólico coronado rigiendo con despotismo sin par a sus súbditos a los que dominaba mediante el terror y sostenido por las subvenciones que no le escatimaban los cautos traficantes con tal de realizar sus viles negocios con el comercio de esclavos.

Por aquel entonces, en Kazonndé el barrio de los mercaderes pertenecía a José Antonio Alvez, de quien habían tratado Harris y Negoro en su entrevista y cambio de impresiones, los cuales eran unos simples agentes a sueldo de Alvez. Era éste el más importante tratante, pero poseía otro comercio similar establecido en Bihé y otro más en Cassange (Benguela), donde el teniente Camerón fue a encontrarle posteriormente.

La residencia palatina del rey de Kazonndé confiaba con el barrio mercantil y no se trataba a pesar del pomposo nombre que le hemos dado más que de una aglomeración de chozas desaseadas cubriendo aproximadamente una milla cuadrada de extensión. Algunas de estas chozas no tenían libre acceso y estaban rodeadas por una empalizada construida con una hilera de papiros y comprendían unas treinta chozas usadas como moradas de los esclavos del jefe y otro grupo destinado a las mujeres del mismo, así como un *també* amplio y alto medio hundido entre las plantaciones de mandioca. Esta era la residencia del soberano.

El rey era un hombre envejecido por el vicio y totalmente impregnadas sus carnes por los licores fuertes que frecuentemente libaba. El alcoholismo le había convertido en un maníaco que sólo por antojo mandaba mutilar a sus súbditos, a sus mi-

200

Julio Verne

nistros o a sus oficiales. Unas veces la mutilación consistía en hacerles cortar la nariz o las orejas, a unos las manos y a otros los pies y, cuya muerte, impacientemente aguardada por todos, iba a ser acogida en su momento con grande y general regocijo.

Solamente un hombre podía salir perjudicado con la muerte del monarca y éste era el propio José Antonio Alvez quien aunque se nombraba así no era portugués sino negro indígena que usaba de tales nombres para satisfacer su importancia personal e inspirar confianza a las autoridades portuguesas que no fiaban de él para nada en absoluto. Era Alvez el único soberano auténtico bajo el gobierno del alcoholizado y embrutecido rey. Este mismo Alvez fue el que debía encontrar en 1874 el teniente Camerón en Kilemmba, capital de Kassonngo, jefe del Urua, y que le acompañaría con su caravana hasta su establecimiento comercial de Bihé efectuando un recorrido de setecientas millas en su compañía.

Aquel 26 de mayo, el largo cortejo de esclavos llegó a la plaza de Kazonndé. Dick Sand, por tanto, no se había equivocado en su pronóstico cuando consideró esta ciudad como final de ruta. La marcha había tenido una duración de treinta y ocho días, desde que abandonaron el campamento situado a orillas del Coanza. ¡Cinco largas e interminables semanas soportando los más inconcebibles padecimientos físicos! ¡Y aquél era el fin y al mismo tiempo el preámbulo de nuevos sufrimientos! ¡Sólo quedaban de los quinientos esclavos doscientos cincuenta! La otra mitad había perecido por el camino sin poder soportar tantos tormentos humanos!

En la plaza esperaban otros mil doscientos o mil quinientos esclavos para ser vendidos y mandados a su lugar de destino por sus compradores.

Tan pronto como llegaron a la ciudad, Tom y sus compañeros fueron encerrados inmediatamente en un barracón donde encontraron algo de comer y sin saciar su hambre que les devoraba tanto como la propia debilidad física.

Dick Sand, bajo la vigilancia de unos de los guardianes, quedóse en la plaza. Miraba a todas partes intentando descubrir entre la turba infortunada a la señora Weldon, su hijo y el primo Benedicto por si se encontraban con anterioridad en la plaza. Pero fue inútil su búsqueda. ¿Qué había sido de los tres? ¿Qué destino les había reservado Negoro? Pero tampoco había visto ni a Harris ni a Negoro. ¿Por qué? ¿Cómo no descubrían todavía su oculta presencia? ¿Qué habían tramado contra todos los supervivientes del *Pilgrim*?

De pronto, estalló en el aire de la plaza un griterío enorme y ensordecedor, acompañado de sonidos de tambores y charangas. Dick Sand se irguió con presteza y curiosidad. El gentío gritaba:

—¡Alvez! ¡Alvez! ¡Alvez!

Este nombre era repetido a gritos por la multitud arracimada formada por los indígenas y la soldadesca que invadía la plaza. El hombre que tenía en sus torpes y sanguinarias manos el destino de tantos seres humanos sumidos en la humillante esclavitud iba a aparecer de un momento a otro. También era posible que dos de sus agentes, Negoro y Harris acudieran en su compañía.

Apareció una especie de hamaca, una *kitanda*, recubierta de una mala cortina remendada y sucia, desteñida y andrajosa, que avanzaba camino de la plaza por la calle principal.

Descendió de ella un viejo negro.

Era José Antonio Alvez, el traficante de esclavos. Algunos de los servidores que le acompañaban se inclinaban a su paso con exagerada sumisión inspirada por el miedo a su poderío sobre las vidas humanas a las que despreciaba con cínica crueldad y salvajismo.

Con Alvez apareció también su amigo Coimbra, hijo del mayor Coimbra, de Bihé, y según descripción posterior del teniente Camerón, quien tuvo ocasión sobrada de conocerle, el más redomado bribón del mundo. Era un ser de grasienta y repugnante humanidad, desgalichado, de ojos remellados, cabellera corta y encrespada, y tez amarillenta y enfermiza que iba cubierto con una camisa haraposa y como pantalón llevaba una falda de hierbas, cubriéndose la cabeza con un sombrero de paja que le daba a su conjunto un aspecto estrafalario y repelente. Coimbra era el peor confidente de Alvez, el organizador sanguinario de las *razzias,* que asolaban las aldeas, asesinando, quemando y haciendo cautivos que convertía en esclavos de su señor. Un verdugo de Africa.

Pero ni Harris ni Negoro formaban parte del cortejo que acompañaba a Alvez.

José Antonio Alvez y Coimbra estuvieron hablando en una mezcla incomprensible de portugués e indígena que no era ninguna de las dos lenguas y formaba una degeneración de cada una de ambas. Dick Sand por más que puso atención a lo que hablaban entre ellos, no pudo comprender nada en absoluto de aquella jerga.

Poco después los cuatro americanos fueron conducidos a la plaza. Dick Sand se acercó a ellos poco a poco. No quería perder ningún detalle de la escena que iba a desarrollarse.

Alvez mostró su satisfacción al contemplar a aquellos negros americanos tan perfectamente desarrollados físicamente. Al punto se dijo que serían vendidos a buen precio. En cuanto al viejo Tom su avanzada edad le restaba valor. Alvez usó entonces de algunas palabras inglesas que había aprendido del americano Harris y con ironía quiso saludar a los esclavos negros que le mostraban. Pero, el viejo Tom se adelantó y señalando a sus tres compañeros le dijo al tratante de esclavos:

—Nosotros somos hombres libres ¡Ciudadanos de los Estados Unidos! ¡Somos negros libres!

Sin duda alguna, Alvez lo entendió perfectamente, porque abrió mucho los ojos y después comenzó a reír y afirmar con la cabeza burlonamente mientras repetía a voces:

—¡Yes, yes! ¡Americanos..., Americanos... ¡Bienvenidos! ¡Muy bien! ¡Sí, americanos! ¡Bien!

Coimbra entonces se adelantó hacia Austin y lo miró de arriba abajo como se observa un animal antes de su adquisición. Una vez le hubo palpado el pecho y los robustos hombros quiso examinarle la dentadura. Entonces, el puño de Austin salió disparado como un formidable ariete pegando en el rostro del señor Coimbra que salió disparado hacia atrás por efecto del terible puñetazo de Austin.

Un capitán de quince años

El confidente fue por el suelo a unos diez pasos de distancia. Rápidamente algunos soldados se precipitaron encima de Austin, que por unos instantes corrió peligro de pagar con su vida la defensa de su dignidad. El gesto autoritario de Alvez detuvo a los soldados con prontitud. Alvez no cesaba de reírse. La infortunada intervención de su hombre de confianza había desatado su hilaridad al verlo rodar a tanta distancia proyectado su cuerpo por el soberbio puñetazo del negro. Coimbra se había levantado y no cesaba de escupir sangre porque el golpe le había hecho saltar dos de los dientes de los cuatro que le quedaban. Su situación no podía salir más malparada.

José Antonio Alvez era de alegre carácter y le gustaba mucho reír aprovechando todos los motivos que daban ocasión para ello. Por otra parte no deseaba que echaran a perder tan valiosa mercancía como representaba la fortaleza del negro, con una tanda de golpes. De ninguna manera. ¡El negocio era el negocio!

Entonces, Dick Sand empujado por una de los guardianes fue conducido a presencia de Alvez que lo miró atentamente de arriba a bajo con mirada escrutadora. Sin duda alguna sabía bien de quien se trataba. Pronunció en un mal inglés, resumiendo su opinión irónicamente:

—¡Ah! ¡Este es el pequeño yankee! ¡El pequeño yankee!

Dick Sand replicó con energía retadora:

—¡Sí! ¡Soy el pequeño yankee! ¡Yankee!

Pero Alvez reíase y repetía una y otra vez:

—¡El yankee! ¡El yankee!

Entonces Dick Sand preguntó por sus compañeros pero Alvez reía y repetía:

—¡El pequeño yankee!

Volvió a preguntarle el joven grumete en vano. El astuto Alvez disimulaba tan bien sus pensamientos que Dick Sand no sabía si le había comprendido o se hacía el desentendido. Alvez tenía todas las condiciones del truhán. Entonces se dirigió a Coimbra que seguía echando chorritos de saliva sanguinolente todavía por entre los espacios vacíos de los dientes saltados. Pero Coimbra resentido por la humillación se limitó a esgrimir un gesto de amenaza y no despegó la boca para hablar.

En tanto Alvez hablaba con un árabe. Era Ibn Hamis con el que conversaba animadamente mientras ambos miraban una y otra vez a Dick Sand. Este aprovechó lo entretenidos que ambos estaban para murmurar a Tom y sus compañeros:

—Atención, amigos: he recibido noticias de Hércules por medio de un mensaje que colocó en el collar de Dingo. Hércules ha seguido a la caravana. Harris y Negoro llevaban a la señora Weldon y su hijito, lo mismo que al señor Benedicto. ¿Hacia dónde? ¡No lo sé! Pero, tengamos paciencia y valor, ¡amigos! ¡No está todo perdido! ¡Dios nos acompaña!

El viejo Tom preguntó:

—¿Y qué ha sido de Nan?

—¡Nan ha muerto, amigos míos!

—La primera de nosotros...

—Pero Dick Sand interrumpió con firmeza:

—¡Sí, pero también será la última de las víctimas, porque conseguiremos...!

Una mano se posó con fuerza sobre su hombro y al mismo tiempo oyó la voz imborrable y burlona al mismo tiempo que cruel destilando todo el odio que Dick Sand le inspiraba:

—¡Hola, mi joven amigo!

Se volvió rápidamente y vio a Harris que estaba ante él sonriéndole cazurra y burlonamente, al mismo tiempo que repetía:

—¡Mi joven amigo, si no me engaño! ¡Cuánto me alegro de volver a encontrarle!

Dick Sand enfrentándose al americano, preguntó con energía y sin rodeos:

—¿Dónde está la señora Weldon?

—¡Pobrecilla, señora! ¡No pudo sobrevivir a tanto sufrimiento!

Dick Sand palideció, exclamando desconsolado:

—¡Ha muerto! ¿Y su hijo, Jack? ¿Qué ha sido de él?

Harris contestó con el mismo tono de fingida pena que volvía más horrible su expresión:

—¡Pobrecillo! ¡Siguió el camino de su madre! ¿Cómo seguir viviendo sin ella?

El rostro de Dick Sand se enajenó de cólera y de dolor, de indignación y de repugnancia hacia aquel miserable sujeto que además hacía burla del dolor y la muerte de unos inocentes a los que él mismo había colaborado activamente en su inmolación. De súbito, sin que nadie pudiera evitarlo saltó sobre el americano y arrebatándole el cuchillo, se lo clavó en el corazón.

—¡Condenación! —gritó Harris. Y cayó fulminado en tierra.

Había muerto.

Capítulo VIII

MERCADO DE ESCLAVOS

El ataque de Dick había sido tan veloz e inesperado que no pudo ser evitado por nadie. Pero una vez Harris estuvo en tierra, algunos indígenas reaccionaron de su propio asombro ante lo sucedido y se arrojaron sobre Dick Sand brutalmente.

Negoro movió la mano. Fue bastante para que se despegaran del joven grumete. Levantaron el cadáver de Harris y se lo llevaron. Entonces comenzó una disputa entre Negoro y Alvez y Coimbra puesto que los dos últimos exigían la muerte inmediata del joven grumete. Pero Negoro se impuso a los dos. Les instó a que aguardaran y sería mejor para los tres. Les reservaba una sorpresa. Los otros al fin accedieron y dejaron que se llevaran a Dick Sand custodiado y con la recomendación severa de que no le quitaran el ojo de encima porque resultaba un esclavo muy peligroso pero cuya vida valía mucho para ellos.

Dick Sand terminaba por fin de ver al miserable culpable del infortunado destino de la señora Weldon y su hijo así como del inocente señor Benedicto contra el cual sólo podían estar resentidos los insectos que había sacrificado en su pasión de coleccionista y entomólogo. El joven grumete impresionado por la mala noticia recibida sobre el fin de sus queridos amigos, ya no sentía el menor interés por su propia vida. Ya poco le importaba lo que aquellos asesinos hicieran con él. Se lo llevaron de la plaza. ¿Dónde? Poco le importaba. Su lucha había perdido la razón de ser sostenida.

Implacablemente encadenado fue encerrado en un barracón de paredes ciegas, donde Alvez acostumbraba a encerrar a los cautivos a quienes condenaba a muerte.

No cabía la menor duda sobre las intenciones que respecto a Dick Sand se reservaba Negoro pues no era por bondad espontánea que había impedido que los indígenas dieran allí mismo muerte al joven grumete. Le reservaba seguramente algo peor que la muerte como preámbulo o antesala de ésta.

El cocinero del *Pilgrim* había conseguido, al fin, hacer prisionero al que había sido capitán del bergantín goleta al que el mismo Negoro había conducido a la destrucción con sus diabólicas maniobras. Tenía a todos los supervivientes del *Pilgrim* apresados. Sólo le faltaba la captura de Hércules para que su triunfo fuese completo.

Un par de días más tarde, el 28 de mayo, se abrió el mercado, el gran *lakoni,* como era llamado al que concurrían afluyendo de las más lejanas regiones los tratantes de las más importantes factorías del interior del país en busca de mano de obra esclava, acudiendo incluso de las provincias vecinas de Angola.

Desde la mañana la animación era grande concentrándose en la gran plaza donde iba a efectuarse la venta de esclavos. Se habían congregado en aquel punto, incluyendo a los esclavos, una cantidad aproximada de cuatro a cinco mil personas, que acudían a negociar carne humana, entre las que se encontraban Tom y sus tres compañeros negros. Estos, por ser de raza extranjera, eran precisamente las piezas más codiciadas por los comerciantes de esclavos.

José Antonio Alvez era el primero entre tantos; el más importante de cuantos allí se habían congregado. Secundado por Coimbra proponía lotes de esclavos con los que los tratantes del interior formaban nuevas caravanas en las que quedaban de nuevo enrolados para otras largas y quizá mortales caminatas para muchos de ellos que se habían salvado de la anterior.

Para los nativos, el *lakoni* era equivalente a un día de festejo importante. El vocerío era infernal en la plaza donde se mercaba, trabándose una incesante oferta y demanda en los tratos que se realizaban con los consiguientes regateos dichos a voces chillonas que convertían en un horrible guirigay ensordecedor y enloquecido todo el ámbito del mercado de Kazonndé.

La gran fertilidad del país afluía en el mercado concentrando en él los productos alimenticios de mejor calidad. Abundaba el arroz, también el sésamo, la pimienta de Urúa más picante que la de Cayena, la mandioca, la nuez moscada, la sal y el aceite de palma, y el sorgo. Acudían llevadas por sus propietarios centenares de cabras, cerdos, carneros, aves y acudían los pescadores cargados con sus cestas. Las bebidas eran muy variadas, con la diversidad del vino de bana, el *pombé,* tan fuerte, el de *malofú,* una especie de cerveza africana muy dulce y hecha con los frutos del babano, así como el hidromiel, mezcla de miel y agua, fermentada con malta.

Había las más variadas telas, el calicot crudo procedente de Salem (Massachussets) EE.UU. el *kanigi, sohari* y el *diulis* de seda de Surate con fondos verdes, azules y amarillos o rojos, que se vendía desde siete dólores el retal de tres yardas hasta ochenta dólares cuando llevaba tejido de oro.

Acudían los mercaderes de marfil procedentes de todos los puntos de Africa central, destinado a Khartum, Zanzíbar o Natal.

Tal era el aspecto del gran mercado. El furor de los mercaderes desechados se mezclaba con la de los chalanes. Había riñas que derivaban en reyertas feroces que terminaban en homicidios y los guardianes se veían impotentes para dominar a toda aquella abigarrada y compleja multitud de gentes tan variadas y procedentes de los lugares más diversos.

Era el mediodía cuando los esclavos fueron conducidos al mercado de los cuales quería deshacerse. Los guardianes les condujeron lo mismo que un rebaño. Iban fuertemente encadenados y custodiados, y en sus ojos daban también a comprender el dolor y la furia de verse reducidos a tan miserable condición. Esto constituyó una desgracia para Tom y sus compañeros al darse cuenta de que el joven grumete no se encontraba en la plaza. Tom exclamó con voz dolida:

—¡El señor Dick no se encuentra aquí!

Pero Acteón aclaró:

—No lo pondrán a la venta como a todos nosotros.

Y Tom resumió lo que mucho se temía:

—¡Acabarán con él para divertirse! Lo matarán si no lo han hecho todavía. Por lo que a nosotros respecta sólo nos queda la débil esperanza de que el tratante nos venda juntos, en un solo lote. Será un consuelo para nosotros el que no nos separen.

—¡Sí Hércules estuviera con nosotros! —exclamó Austin, apenado.

Pero el gigantesco Hércules no había dado señales de su presencia. Nada se había sabido de él desde que Dick Sand había recibido sus noticias por mediación de Dingo. ¿Qué había sido de Hércules? ¿Le habría ocurrido alguna desgracia irreparable?

Ya había comenzado la venta. Los agentes de Alvez se paseaban entre el gentío compuesto por los numerosos lotes de mujeres, niños y hombres. Tom y sus compañeros fueron conducidos de unos a otros compradores que los examinaban con gran atención, mientras el agente voceaba sus cualidades físicas y gritaba los precios. Aquellos negros americanos, domesticados, inteligentes y vigorosos tenían un gran valor para ellos.

Al fin ocurrió lo que tanto deseaban. Obtuvieron la secreta y al mismo tiempo triste satisfacción de ser vendidos en un solo lote a un mismo comprador y en tal caso no iban a ser separados.

José Antonio Alvez se frotaba las manos satisfecho de la operación de aquella venta efectuada a buen precio.

El tratante que los había adquirido los hizo trasladar a un barracón aparte donde quedaron debidamente encerrados. Desde su apreciación, era aquella, una mercancía valiosa que le iba a proporcionar grandes ingresos a su llegada al lejano Zanzíbar.

Los cuatro negros americanos tuvieron que abandonar la plaza del mercado y perdieron al mismo tiempo la oportunidad de presenciar la escena que iba seguidamente a desarrollarse en su ausencia.

El mercado de Kazonndé era como un gigantesco hormiguero hirviente.

Capítulo IX

EL ULTIMO PONCHE DEL REY DE KAZONNDE

A las cuatro de la tarde de aquel mismo día, resonaron lo tambores y los címbalos así como también otros muchos instrumentos musicales de origen africano. La calle principal se llenó con sus sones dirigiéndose hacia la plaza del mercado.

Todavía quedaba para la venta gran número de lotes de esclavos, y el vocerío de las gentes proseguía sin haber menguado. Agitábanse brazos y movíanse las piernas proyectando grandes voces que semejaban a veces alaridos estridentes. Era, de una forma más primitiva pero con no menos ardor, algo parecido a lo que ocurre con frecuencia en un día de Bolsa en Londres, cuando hay un alza. Aquella era la Bolsa africana en un mercado de esclavos de Angola. Los apetitos eran similares.

A los sones, que atronaban el aire, se hizo un silencio porque la solemnidad que anunciaban bien lo exigía. Era el rey de Kazonndé que honraba con su visita el gran *lakoni*.

Le acompañaba un séquito de funcionarios, soldados y de sus más bellas mujeres engalanadas con las prendas más vistosas de que disponían. Iban también embellecidas por sus más ricos y complicados tocados, peinadas cual pertenecía a las mujeres del rey Moini Lungga.

Al punto Alvez y otros tratantes le salieron al encuentro

para darle la bienvenida y rendirle los homenajes que se le tributaban a aquel coronado alcohólico.

Moini Lungga bajó del aviejado palanquín en que era transportado, con la ayuda de unos diaz brazos que se le ofrecieron todos a la vez con servil acatamiento, pues el servilismo no es sólo patrimonio de los países civilizados sino exclusiva característica de ciertos tipos humanos sin distinción de razas ni de la evolución de las soeiedades humanas. Es una flor pestilente y malévola que florece en todas las comunidades y que echa a perder sin distinción a todos los poderes que la cultivan.

Tenía el rey cumplidos sus cincuenta años, pero por sus excesos de todas clases menos en el ejercicio de las virtudes, se le podía achacar muy bien la edad de ochenta años. Tenía algo de simio anciano que hubiese alcanzado la máxima senilidad posible. Ostentaba sobre su cabeza una especie de tiara adornada con garras leoninas pintadas de rojo intenso y adornadas en contraste singular y vistoso con pelos blanquecinos. Era la corona de los soberanos de Kazonndé que pasaba de unos reyes a otros como símbolo de su realeza. Pendían de su cintura dos faldones de cuero de *cudú* bordado de perlas y más duro que el delantal de un herrero en su fragua. El pecho del soberano lucía numerosos tatuajes de todos los colores atestiguando la antigua nobleza del rey. Tobillos, muñecas y brazos del rey estaban cubiertos de brazaletes de cobre con incrustaciones de *sofis* y calzaban sus pies un par de botas con campanillas que el astuto Alvez le había regalado unos veinte años atrás y que el soberano reservaba para las grandes solemnidades.

Llevaba el rey, en su diestra mano, empuñado, un cetro o bastón largo con remate esférico de plata y en su otra mano un mosquero con la empuñadora engarzada de perlas.

Moini Lungga poseía en su harén esposas de todas las edades y categorías. Moina era la más antigua de sus esposas y estaba considerada como la reina, era una mujer de cuarenta años, una mujer de carácter duro y despiadado, una furia viviente, de sangre real, como lo eran sus colegas. Iba vestida con llamativas telas y recargada de brazaletes y joyas. Otras esposas del rey, iban detrás de la primera vestidas con menos fastuosidad y siempre dispuestas a cumplir lo que ordenara el soberano a la más leve indicación de éste. Cuando el rey quería tomar asiento, dos de sus esposas se arrodillaban en el suelo y con sus espaldas le servían de improvisado trono dondequiera que fuese.

Negoro no había abandonado un instante a Alvez y en su compañía presentaba sus respetos al monarca, que solicitaba de su amigo Alvez le renovara su provisión de aguardiente, agotada recientemente por las últimas y frecuentes libaciones del rey.

—¡Bienvenido sea el rey al mercado de Kazonndé! —saludaba y repetía el tratante. Y el rey, replicaba con voz cansada y al mismo tiempo impaciente:

—¡Tengo mucha sed, amigo Alvez! ¡Mucha sed de aguardiente!

Alvez añadía servil:

—¡El rey tendrá su buena parte en los negocios del mercado!

Pero el monarca replicaba una vez más:

—¡A beber! ¡A beber! ¡Es lo que importa más cuando se tiene sed abrasadora, amigo Alvez!

Pero el tratante proseguía:

—Mi gran amigo Negoro se considera muy feliz de volver a saludar al rey de Kazonndé.

—¡A beber! —respondió Moini Lungga.

Entonces, Alvez le preguntó sonriente:

—¿Qué quiere beber el rey? ¿Pombé o hidromiel? —pero sabía muy bien lo único que el rey quería tomar.

—¡¡No...!! ¡No! —respondió enfureciéndose el soberano—. Sólo aguardiente del que tiene mi amigo Alvez y, por cada gota, le pagaré con...

—¡Con otra gota pero de sangre de un blanco, gran rey de Kazonndé! —gritó Negoro, intercambiando una seña con Alvez que éste al punto sobreentendió, aprobando.

Moini Lungga pareció complacerle la idea. Exclamó divertido:

—¡La vida de un blanco! ¡La muerte de un hombre blanco por una buena ración de aguardiente de mi amigo Alvez!

Los instintos homicidas del rey afloraron excitados por el deseo incontenible de la clase de bebida que deseaba. Y entonces, Negoro le decidió declarando:

—¡Un agente de Alvez ha muerto a manos de un blanco! ¡Debe hacerse justicia! ¡Oh, rey!

Alvez ratificó en seguida:

—Así es. Ha sido muerto mi agente Harris. Es necesario que su muerte sea vengada.

El rey evidentemente satisfecho de complacer con tan poco a Alvez decidió implacable y a la vez visiblemente divertido:

—¡Qué sea enviado ese blanco al rey Massongo, del Alto Zaire, el de los Assúas! El mandará cortarlo en pedazos y se lo comerán vivo! ¡Afortunados de ellos que no han olvidado el sabor de la carne humana! ¡Alabados sean ellos! —gritó Moini Lungga.

Negoro no era esa la clase de muerte que deseaba para su enemigo ni que tampoco se realizara tan lejos de su presencia. Replicó influyendo en el rey:

—¡Este blanco está aquí!

Y Alvez apoyó a su compinche:

—¡Y es aquí donde debe morir, gran rey de Kazonndé!

El rey estaba fastidiado por aquel asunto porque a él lo único que le importaba de verdad era beber el aguardiente de Alvez. Concedió para terminar cuanto antes:

—¡Como prefieras, Alvez! Pero ya sabes que por cada gota de sangre... una gota de aguardiente. Este es el trato.

—Sí —convino el tratante de esclavos . Y añadió para complacer al rey totalmente—: Y hoy verás como hago arder esa agua de fuego. ¡José Antonio Alvez ofrecerá al rey de Kazonndé un ponche! ¡Un ponche para el rey Moini Lungga!

El rey borracho estrechó calurosamente las manos de su amigo Alvez. Rebosaba de alegría a la sola perspectiva de lo que le había prometido e iba a cumplir. Sus mujeres y los cortesanos participaban del mismo delirio. Nunca habían visto arder el aguardiente y deseaban, ingenuamente, beberlo llameando el alcohol.

¡Desventurado Dick Sand! ¿Cuál era el terrible suplicio que le tenían reservado?

La sola idea de torturar a un blanco era agradable para todo indígena. Pero tampoco disgustaba a José Antonio Alvez, ni a Coimbra ni al mismo Negoro, animado como estaba todo su ser por el odio salvaje que sentía hacia el joven y valeroso grumete.

A la llegada de la noche y aquella era la hora propicia para que llamearan los esplendores del alcohol ardiendo. El tratante Alvez, sin duda, había tenido una idea genial al ofrecer un ponche al rey para hacerle gustar aquella nueva forma de tomar el alcohol lo cual le granjearía la más desbordante admiración del soberano y en consecuencia la consecución de nuevos beneficios en sus negocios.

Así el programa nocturno iba a comenzar con un ponche e iba a dar fin con un suplicio aterrador que sería recordado durante años por quienes le contemplaran como un magnífico espectáculo de la generosidad del rey a sus cortesanos.

Encerrado en su tenebrosa prisión el desventurado Dick Sand sólo iba a salir de ella camino del tormento.

En tanto Alvez comenzó los preparativos del ponche real.

Llevaron un gran caldero de cobre con una capacidad para doscientas pintas que fue colocado en el centro de la amplia plaza del mercado.

Unos barriles de aguardiente fueron vertidos con abundancia en el interior del caldero. Se le añadió canela, guindillas y los demás requisitos apropiados para un buen ponche, lo más excitante posible. Alvez pensaba en sus adentros divertirse a sus anchas cuando hiciera sus efectos en la corte del rey. Era un ponche apropiado para salvajes.

Todos se habían reunido alrededor del rey y del caldero.

El rey Moini se sentía el más feliz de los mortales por la bebida que su amigo Alvez le estaba preparando.

Moini Lungga cuando todo estaba dispuesto avanzó tambaleándose solemnemente hacia el caldero a una seña de Alvez.

El tratante le detuvo y colocó en su mano una mecha encendida.

—¡Fuego! ¡Fuego! ¡Fuego! —chilló alegremente haciendo cómicos visajes con el rostro. Todo el mundo se reía.

Y entonces, a su vez, Moini Lungga gritó zaradeando la mecha encendida y azotando el líquido con ella:

—¡Fuego! ¡Fuego!

¡Cuánto esplendor y que efectos los de las grandes llamas azuladas serpenteando brotadas del líquido inflamado! Los negros, anardecidos por los esplendores y por la anticipación de la próxima embriaguez en que iban a sumergirse sus cerebros, comenzaron a dar gritos, mientras claridades casi espectrales asomaban a los rostros de reflejos azulados por efectos de las llamas del alcohol.

Alvez movía el líquido agitándolo con un cucharón.

Moini Lungga no quiso esperar más tiempo. Le quitó el cucharón a Alvez y lo sacó lleno de líquido llameante, se lo aproximó a los labios.

¡Jamás en su vida había dado un alarido como aquél que profirió el rey de Kazonndé!

¡Se había producido una combustión instantánea! El rey se incendió espontáneamente lo mismo que un recipiente lleno de petróleo. Aquel fuego no desarrollaba mucho calor, pero no por eso quemaba menos.

La danza de los indígenas se detuvo al instante.

Uno de los ministros de Moini Lungga se arrojó sobre él para apagar las llamas que le envolvían pero, a su vez, no menos alcoholizado que el soberano comenzó a arder.

Como comenzaran los demás a seguir el ejemplo del primero, la corte de Kazonndé iba a quedarse sin cortesanos.

Las mujeres asustadas de miedo, emprendieron la huida chillando enloquecidas y aterradas.

Por su parte Alvez y Negoro permanecían inmóviles sin acertar qué hacer para salvar al soberano. Coimbra, por su parte, había desaparecido inmediatamente conociendo su naturaleza física altamente inflamable lo mismo que la del rey con quien tantas veces habían libado juntos.

El rey y su ministro que habían rodado en tierra se retorcían presos de terribles sufrimientos.

Es cosa sabida que, en los cuerpos alcoholizados de una forma total, la combustión ocasiona solamente una ligera llama azulada que el agua jamás podría extinguir. Apagada en el exterior del cuerpo continuaría en el interior del organismo ardiendo incesante, porque los tejidos están tan impregnados que no hay forma de impedir la combustión.

Poco después, el rey, lo mismo que sus funcionarios, se había convertido en leves carbones, quedaban los restos de una fracción de la columna vertebral y los dedos de las manos y los pies que el fuego no consigue consumir totalmente, pero los recubre de un hollín infecto y maloliente casi insoportable.

Aquél fue el fin del rey de Kazonndé que perdió su vida por culpa de un ponche que no llegó a tomarse.

Capítulo X

UN REAL ENTIERRO

El terror parecía dominar a la población, que se hallaba reunida, a la mañana siguiente, día 29 de mayo, en la plaza del mercado de Kazonndé.

Parecía increíble que un rey que estaba dotado de esencia divina hubiese sufrido muerte tan horrible.

José Antonio Alvez se había retirado a su casa y no asomaba a la calle por temor que se le hiciera responsable de la muerte del soberano. Negoro le había aconsejado recomendándole que tuviese precauciones.

Sin embargo, a Negoro se le ocurrió una de sus astutas ideas que llevó rápidamente a la práctica, haciendo correr el rumor de que la muerte del alcoholizado soberano había sido un prodigio en el que había intervenido la voluntad divina. Una muerte sobrenatural que el gran Manitú sólo tenía reservada a los seres priveligiados y a sus elegidos predilectos.

El embuste por grosero no menos dejó de creerse, pues ante lo que resultaba incomprensible siempre hay mentes fáciles de aceptar lo que se les ofrece como cierto y acomodaticio. Aclarado el sucedido, ya podían honrarse los pocos restos que quedaban del monarca, con las correspondientes honras fúnebres. Unos funerales dignos de quien ha sido elevado a la categoría de los dioses.

Se procedió sin demora alguna a la preparación de los funerales del monarca, cuyo sucesor directo era su viuda, la reina Moina que se deshacía de las otras mujeres más jóvenes siempre como posibles rivales en vida del rey.

Comenzaron los trabajos preliminares para los funerales del rey que debían llevarse a cabo al día siguiente. Se proyectaba desviar el curso de un arroyo para que su lecho se secase y en éste debía abrirse la tumba real. Una vez realizado el enterramiento el arroyo recobraría el curso normal.

Al punto, los indígenas se dedicaron con febril actividad a construir un dique que contuviera las aguas desviadas. Al terminar los funerales se rompería el dique y las aguas volverían a su curso habitual.

Negoro había destinado a Dick Sand a completar el número de víctimas que iban a ser inmoladas sobre la tumba real. Así para su mayor complacencia decidió hacerle una visita en su encierro. Negoro era uno de esos miserables que gozan atormentando a los que convierten en sus víctimas.

Entró en la prisión de Dick Sand y le saludó de la siguiente manera:

—Aquí estoy acudiendo a saludar por vez postrera a mi antiguo y joven capitán, y comunicarle que no imagina cuánto siento que no tenga aquí tanta autoridad como la que tuvo en el *Pilgrim*.

Pero Dick Sand ni siquiera se volvió a mirarle. El portugués prosiguió:

—¡Vamos, capitán Dick! ¿Ya no recuerda a su antiguo cocinero que guisaba para usted y sus amigos? Aquí me tiene usted, para recibir nuevas órdenes.

Negoro golpeaba a puntapiés al muchacho que seguía aparentemente con indiferencia a sus palabras, tendido en el suelo.

—¡A cada uno le llega su turno de perder, capitán Dick! ¡Soy yo ahora el capitán! ¡Yo soy el dueño absoluto de la situación, amigo mío! Y, en este momento, tu vulgar existencia de grumete está en mis manos y me bastará con mover un solo dedo para que te la quiten. Te reservo una muerte muy original. Gozaré muchas veces en la larga vida que me queda que saborear, ¡cómo quité la existencia a un capitán de quince años!

Dick Sand entonces respondió con entereza:

—¡Bien! Mi vida está en tus manos... ¡pues tómala! ¡Pero no olvides que existe un Dios justiciero y que tu castigo no tardará mucho en llegar!

—¡Lo veremos! —chilló Negoro congestionado por la cólera y el odio ante la serena impavidez del joven grumete. ¡Nadie podrá salvarte de la muerte que te aguarda! ¡Nada ni nadie! ¡En cuanto a tus amigos todos ellos fueron vendidos!

—No todos —respondió Dick Sand—. Hércules consiguió escapar y sigue con vida. El puede ser la mano de la justicia divina para darte su castigo.

Negoro estalló en una risotada y replicó con fingido asombro que apenó a Dick Sand por la noticia que le revelaba:

—¡Hércules! ¡Murió entre los dientes de los leones!

Dick Sand replicó entonces:

—Si Hércules ha muerto, Dingo, en cambio, sigue vivo. Cuando el perro te encuentre cobrará con tu vida todas las muertes que has causado, miserable.

—¿Qué disparates son los que dices, grumete? ¡Dingo murió. Yo mismo le metí una bala en la cabeza! ¡Murió! ¿Oyes? ¡Dingo está muerto! ¡Y pronto también, lo estarás tú, maldito grumete!

Negoro fuera de sí, enloquecido por su mismo odio, se arrojó sobre el indefenso preso y comenzó a zarandearle y golpearle brutalmente. De repente, se detuvo. No quería darle muerte con sus propias manos, sino contemplar pacientemente cómo moría en manos ajenas. Giró sobre sí mismo y salió de estampida de donde estaba el prisionero encerrado.

Pero lo ocurrido no había abatido al joven grumete, por el contrario le había reavivado toda su energía moral. Fue entonces también cuando de repente se dio cuenta que de los tirones y golpes que le había dado Negoro zarandeándole bestialmente, las ligaduras se le habían aflojado. Por tanto, sus miembros estaban más sueltos que antes de la llegada del que se había proclamado su verdugo en su misma cara.

Dick Sand había acertado. Las ligaduras estaban más flojas pero lamentablemente no todavía lo bastante como para conseguir librarse de ellas.

Entonces, le pareció oír como un leve ruido detrás de la puerta de su encierro. Prestó atención y comprobó que no se había equivocado. ¿A qué sería debido aquel ruido continuado? Se acercó a la puerta y escuchó con atención. Efectivamente, alguien hurgaba con repetida y continuada insistencia. Entonces apareció la pata del perro hurgando debajo mismo de la puerta. Dick Sand sintió que el corazón se le inundaba de alegría. ¡Era el fiel Dingo que había regresado y después de haberle buscado infatigablemente había conseguido dar con él! Pero, en aquel momento, el perro tuvo que escapar dando por terminada su labor. Había sido advertido por los otros perros de los guardianes y a los ladridos de éstos tuvo que escapar mientras los guardianes disparaban en su persecución los fusiles. Toda posibilidad para evadirse con la ayuda del perro se había esfumado. Dick Sand no tuvo otro remedio que resignarse esperando que llegase el momento de ir al suplicio. Aguardó en su encierro la llegada de la muerte.

El trabajo de los enterradores del rey muerto se redobló durante todo aquel día. Por la noche todo estaba preparado para efectuar los funerales. La fosa había sido abierta y cincuenta de las esposas del rey estaban alineadas a ambos lados de la tumba abierta, totalmente encadenadas, y resignadamente aguardando la hora de su muerte.

A un lado se había levantado un poste en el que había sido atado Dick Sand, después de haber sido atormentado. Su cuerpo medio desnudo de cintura para arriba mostraba las señales de los latigazos recibidos. Ya no había posibilidad de esperanza para él.

Centenares de antorchas alumbraban el lecho del arroyo seco en cuyo fondo estaba abierta la tumba con ambos lados de mujeres negras emparedadas. Entonces llegó la reina Moina seguida de su séquito de mujeres. La reina iba vestida con sus más ricos atuendos y más preciosas alhajas.

A una señal de la soberana el ejecutor del palacio comenzó a actuar. Al punto su cuchilla comenzó la degollina. Las mujeres negras encadenadas junto a la tumba real fueron decapitodas unas tras otra. Una escena sangrienta y horrible culminó con aquella matanza. Sobre la tumba todavía abierta del rey se vertió un río de sangre. Del fondo del cauce del río seco, se levantaba un clamor de voces de las víctimas.

El cuerpo del rey fue conducido en una especie de catafalco hasta el lugar de su entierro. Sus despojos fueron colocados dentro de la tumba y al punto, luego de cerrada, a una señal de la reina, empezó a romperse el dique que contenía las aguas desviadas. Poco a poco el agua fue vertiéndose dentro del antiguo lecho del río. Fue creciendo el nivel.

Poco después el agua llegaba casi a las rodillas de Dick Sand cuyo cuerpo blanco era como una pincelada sobre tanta oscuridad de los cuerpos de las mujeres negras decapitadas en un baño de sangre que el agua iba disolviendo. Dick Sand notaba que sus ataduras poco a poco iban cediendo. Pero la hora de la muerte no esperaba. Se iba acercando su último momento final a medida que el agua iba subiendo en el arroyo.

Las esclavas sacrificadas yacían bajo el agua encadenadas.

El agua que ahogaba todo lamento y ocultaría aquella carnicería con que la muerte del rey de Kazonndé cerraba el período de su torpe reinado.

Un reinado de salvajismo y de sangre.

Las antorchas crepitaban llameantes alumbrando una escena que la pluma se resiste a transcribir.

Dick Sand, el valeroso grumete del *Pilgrim,* veía alejarse definitivamente la última esperanza de salvarse.

Cada vez más abundantes e impetuosas las aguas del dique roto inundaban de nuevo su antiguo lecho del arroyo.

La muerte estaba próxima.

Capítulo XI

UNA MUJER DE TEMPLE

Tanto Negoro como Harris ambos habían mentido cuando aseguraron que la señora Weldon, su hijo Jack y el primo Benedicto habían muerto.

Los tres después de haber sido capturados en el hormiguero en que se habían refugiado con Dick Sand y sus amigos, habían sido trasladados hasta Kazonndé y encerrados en el barracón de una factoría.

Aquella mañana, Negoro acudió a visitar a la señora Weldon para llevar a cabo sus diabólicos planes.

La señora Weldon al verle aparecer no pudo por menos que expresar en su mirada el profundo desprecio que el cocinero que había pertenecido a la tripulación del *Pilgrim* le inspiraba.

Negoro, después de empujar la puerta de la choza sin ningún preámbulo, comunicó:

—Señora Weldon, sé que mi presencia no es grata para usted como bien noto en sus ojos, sin embargo, un deber includible me obliga a presentarme ante usted para comunicarle una penosa noticia.

La señora Weldon no pudo por menos que prestarle atención sintiendo que su corazón se le encogía inquieto. Negoro dijo:

—Debo decirle que Tom y sus compañeros han sido vendidos a los mercaderes de Ujiji.

Hizo una pausa antes de proseguir. Y añadió:

—También Nan ha muerto en el camino, señora. Y Dick Sand ha fallecido.

Las noticias no podían ser más crueles. La señora Weldon acusó el dolor que le causaban cuando exclamó:

—¡Nan muerta! ¡Y Dick Sand también! ¡El leal y abnegado Dick Sand! ¡Dios mío!

Negoro siguió su plan hasta el final del mismo, añadiendo con evidente complacencia en su interior:

—Ha sido inevitable, señora. Preciso era que el joven grumete pagara con su vida la vida que quitó a Harris, asestándole una puñalada en el corazón cuando aquél, mintiéndole, le dijo que usted y su hijito, lo mismo que el primo Benedicto habían muerto.

—¡Dios mío!

—Ahora está usted totalmente sola, señora Weldon. ¿Comprende lo que quiero significarla?

La pobre mujer miró al diabólico portugués con los ojos asustados y preguntó:

—No le comprendo, ¿qué quiere usted dar a entender?

—Solamente que necesita regresar a América, señora.. ¿No comprende, ya?

—Todavía no alcanzo a dónde quiere usted llegar. Hable claro.

—Lo seré, señora.

—Veamos.

—Quiero decir señora, que aquí, ustedes, los supervivientes del *Pilgrim*, son simplemente esclavos con un precio. Ciertamente de poco precio para ser más claros, pero...

—¿Qué?

—Hay quien pagaría por su libertad una elevada suma, creo yo.

—¿A quién se refiere?

Negoro, tranquilamente, respondió:

—Me refiero, señora, al armador James W. Weldon, su esposo.

—¿Qué es lo que se propone?

—Sencillamente, poner un precio para su rescate que estoy seguro que él pagará gustosamente con tal de recobrar sanos y salvos a su esposa e hijo. ¿No lo cree usted, señora Weldon?

—¿Y cuándo se propone usted hacer esta operación tan miserable?

—Para bien de usted y beneficio para mí, señora, lo antes posible.

—¿Dónde?

—Aquí mismo podremos hacer tan brillante operación. El señor Weldon no hallará inconveniente alguno con tal de rescatar a usted. Acudirá a Kazonndé a recoger a su mujer y a su hijo.

—¡Desde luego que acudirá en nuestra busca si recibe aviso! Pero, ¿quién le comunicará lo que ocurre? ¿Quién?

—Usted misma, señora. Bastará que le escriba, no olvidando consignar claramente la cantidad que exijo como rescate.

—¿Qué cantidad?

—Cien mil dólares.

—Lo pagará si tiene esta cantidad, en efecto. Sólo hay un inconveniente.

—¿Cuál, señora?

—Mi esposo no creerá nada de la carta a menos que se le den pruebas que estoy aquí, en Kazonndé.

—Será fácil siempre que usted en la carta me presente a él como a un fiel servidor de toda confianza... y yo mismo le entregaré la carta en mano, ¿comprende usted, señora?

—¡Jamás escribiré esta carta!

—¿No?

—¡No!

Negoro la miró con crueldad. Perdió de súbito su aparente calma.

—¡Tenga usted cuidado conmigo, señora Weldon! ¡No

está sola para poder decidir! ¡Tiene el niño consigo y yo puedo hacer que se lo quiten!

—¡Miserable!

—¡No lo olvide! ¡Aquí mando yo! ¡No estamos en el *Pilgrim*, señora, ni yo soy el cocinero! ¡Le digo que escribirá esta carta!

—¡Jamás!

—Le doy ocho días de tiempo para que se decida..., de lo contrario, comience a temer por su hijito.

—¡Malvado!

Una vez hubo dicho sus últimas palabras, Negoro salió de la choza cerrando violentamente.

Capítulo XII

ALGO SOBRE EL DOCTOR LIVINGSTONE

Ocho días, para la señora Weldon, era un lapso de tiempo más que bastante para pensar y decidir una decisión. Pero, también pensó que si Negoro le había concedido aquellos días debían ser precisamente los que él necesitaba para preparar su viaje. Luego exigiría la carta a cambio de la vida de su hijo en caso de que se negara.

La pobre mujer se dijo casi en voz alta lo que tanto la inquietaba:

—Ese hombre sería capaz de separarme de mi hijo si no consigue lo que espera de mí, es decir que escriba esta carta. La pobre señora abrazó a su hijito.

—¿Qué te ocurre, mamá? —preguntó el niño al mirar al rostro de su madre.

—¿Te gustaría volver a ver a papá, hijo mío?

—¡Claro! ¿Acaso vendrá a buscarnos, mama?

—¡No será necesario que acuda para que volvamos a verlo, hijo mío!

—Siendo así como dices, ¿quieres dar a entender que seremos nosotros los que iremos a su encuentro?

—¡Eso es, hijito! ¡Iremos nosotros a él!

—¿Y vendrán Dick Sand, Hércules, Tom y todos los demás con nosotros, mamá?

—¡Sí, sí, desde luego que sí, hijo mío! —exclamó la señora Weldon para ocultar las lágrimas que fluían a sus ojos—. ¡También irán con nosotros!

—Dime, mamá. ¿Acaso papá te ha escrito?

—No, hijo.

—Siendo así quieres decir que serás tú quien le escribas a él, ¿no es así?

—Cierto, hijo mío. Lo has adivinado.

En tanto, once días más tarde, propiamente el día 3 de noviembre, de su entrada en Ujiji, sonaron unos disparos de fusil a un cuarto de milla del lago. El doctor Livingstone acudió a recibir a un visitante. Era un hombre blanco y se detuvo ante él. Preguntó con respeto:

—¿Es al doctor Livingstone a quién tengo el honor de saludar?

—Sí —respondió el doctor esbozando una afectuosa sonrisa.

Y seguidamente los dos hombres se estrecharon las manos con efusión. El hombre blanco que había llegado, entonces, dijo emocionado:

—Doy gracias a Dios por haber permitido que le encuentre a usted, doctor.

Livingstone correspondió:

—Y yo tengo la gran satisfacción de encontrarme aquí para recibirle.

El blanco que terminaba de encontrar al doctor era el repórter Stanley, del *New-York Herald*, al que su director el señor Bennet había enviado a Africa en busca de David Livingstone a quién se había dado por perdido.

—Ha llevado a cabo usted —dijo el doctor a su compañero— lo que muy pocos hombres hubieran hecho, y todavía mucho mejor que algunos viajeros ilustres. Le estoy muy agradecido, Stanley. ¡Que Dios le guíe y bendiga, amigo mío!

—¡El quiera que vuelva usted sano y salvo a nuestro país

querido doctor! —dijo Stanley apoderándose de una de las manos de Livingstone.

El doctor se desasió con rapidez y volvióse para ocultar las lágrimas.

—¡Adiós, doctor, amigo mío! —dijo, con la voz apagada por la emoción.

—¡Adiós! —contestó Livingstone con la voz ahogada.

Stanley partió de regreso y el 12 de julio de 1872 desembarcaba en Marsella.

El doctor Livingstone reanudó sus investigaciones. El 25 de agosto después de haber pasado cinco meses en Kuihara acompañado de sus domésticos negros Suzy, Chuma y Amoda, de otros dos servidores, de Jacobo Wainwright así como de cincuenta y seis hombres enviados por Stanley, se dirigió hacia el sur de Tanganika.

Al cabo de un mes llegaba a Mura, en medio de las tormentas provocadas por una sequía extrema.

Llegaron las lluvias, la malquerencia de los indígenas y su incomprensión, la pérdida de las bestias de carga. El 24 de enero de 1873, el grupo llegaba a Chitunkué. El 27 de abril después de haber recorrido el contorno oriental del lago Bangüeolo, se dirigía hacia la aldea de Chitambo.

Este era el punto donde algunos habían dejado a Livingstone. He aquí lo que por ellos sabían Alvez y su colega de Ujiji.

Había serias razones para creer que el doctor una vez terminado la exploración del sur del lago, se atrevería a cruzar el Loanda e iría en busca de las regiones desconocidas del oeste. Luego ascendería hasta Angola para visitar las regiones infestadas por la trata de negros hasta llegar a Kazonndé. El itinerario parecía admisible y lógico y, por tanto, era probable que Livingstone lo siguiese.

Con la próxima llegada del ilustre viajero, podía la señora Weldon contar con una providencial ayuda para verse en libertad.

Pero, el 13 de junio, la víspera del día en que Negoro debía volver para reclamar a la señora Weldon la carta que había de poner cien mil dólares en sus manos, corrió una triste noticia que sólo podía ocasionar contento a Alvez y a los demás tratantes.

¡El 1 de mayo del año 1873, al amanecer, había fallecido el doctor Livingstone!

El día 30 de abril por la noche, bajo la influencia de un dolor excesivo, exhaló esta queja, que apenas se oyó: "¡Oh, *dear, dear*!" Y se sumió en un sopor profundo. Al cabo de una hora llamó a su servidor Suzy le pidió algunos medicamentos, y luego, murmuró, con voz débil:

—Gracias. Puede usted retirarse.

A las cuatro de la mañana, Suzy, y sus cinco acompañantes que componían la escolta entraron en la choza.

Hallaron al doctor Livingstone arrodillado junto a su lecho, con la cabeza apoyada entre sus manos. Parecía estar orando.

Suzy le puso con suavidad un dedo sobre la mejilla. Estaba frío.

David Livingstone había dejado de existir.

Nueve meses más tarde, su cuerpo, transportado por sus fieles servidores, con inauditas fatigas, llegaba a Zanzíbar. El 12 de abril de 1874, era inhumado en la abadía de Westminster, entre los grandes hombres a quienes en Inglaterra veneran tanto como a sus soberanos.

Capítulo XIII

LA MANTICORA

El día 17, la señora Weldon echó de menos al primo Benedicto a la hora acostumbrada y se sintió presa de la más extraña inquietud. Parecía increíble que hubiese logrado escapar de la factoría burlando la empalizada que estaba vigilada. Era imposible que aquel hombre hubiese resuelto escaparse de su cautiverio que apenas notaba. Y sin embargo, el primo Benedicto no aparecía por parte alguna.

Las indagaciones llevadas a cabo por los servidores de Alvez llegaron a la conclusión de que la topinera de la factoría ponía a ésta en comunicación con el bosque y que el primo Benedicto se había fugado por el pasadizo de la angosta abertura. Parecía increíble tal astucia en el "cazador de moscas".

Lo que la señora Weldon no se explicaba era cómo el primo Benedicto no le había revelado su proyecto de fuga, huyendo él solo sin el niño y ella. La señora Weldon tuvo que resignarse a la desaparición inopinada de su extravagante primo.

—¡Infortunado Benedicto! ¿Qué habrá sido de él? —se preguntaba perpleja y angustiada.

El día señalado por Negoro se presentó éste en el encierro inquiriendo la determinación que había decidido la señora Weldon sobre la carta. Esta se mostró muy realista en el trato con el miserable que la había reducido a cautiverio. Le dijo:

—Le advierto que si de verdad quiere hacer usted un buen negocio con mi rescate y el de mi hijo, no ponga condiciones que lo hagan inaceptable. Mi marido pagará la suma que usted le exija, naturalmente, pero podrá lo mismo obtenerla evitando que mi marido tenga que viajar hasta aquí, un país donde usted sabe sobradamente, lo mismo que yo ahora, lo que puede ocurrirle a un blanco. En consecuencia de modo alguno quiero que venga.

Negoro vaciló pero al fin admitió el razonamiento de la señora Weldon, consintiendo en que el señor James W. Weldon no fuese hasta Kazonndé. Un barco lo conduciría hasta Mossamades, un pequeño puerto del sur de Angola, frecuentado por los negros y conocido de Negoro. En una fecha determinada los agentes de Alvez llevarían hasta allí a la señora Weldon con su hijo y el primo si éste era hallado. La suma se haría efectiva a la entrega de los cautivos y el señor Weldon desaparecería con ellos tan pronto llegara el navío y sin buscar represalias por parte de las autoridades portuguesas. Estas fueron las condiciones.

Capítulo XIV

EL HECHICERO PRODIGIOSO

Se produjo en la provincia por aquellas fechas un acontecimiento climatológico anormal en aquella época del año. Hacia el día 19 de junio, se reprodujeron persistentes lluvias cuando ya estaba terminado el período de las lluvias anuales. Continuados aguaceros caían sobre Kazonndé y la reina lo tomó como mal presagio. Por su mandato fue requerida la llamada de los magos, cuya dedicación consistía en curar enfermos, pero no a los encantamientos y actos relacionados con la brujería. Lo que ocurría era una desgracia pública y podía atribuirse al enojo de los dioses por razones ignoradas de la reina. Fue entonces cuando la reina Moina concibió la idea de llamar a un famoso *mgannaga* que se hallaba por aquel entonces hacia el norte de Angola. Era un mago de primera magnitud cuyo saber maravilloso comprendía todos los secretos con los que apaciguar a los dioses y a las fuerzas de la naturaleza. La fama de sus éxitos logrados entre los *masikas* motivaron la determinación de la reina Moina de que fuese llamado urgentemente para que acudiera a Kazonndé.

El 25 de junio el famoso *mgannaga* anunció sonoramente su llegada con un gran tintineo de campanillas.

Fue el hechicero directamente a la *chitoka* y, al instante, la multitud de indígenas se precipitó hacia él. El tiempo aparecía menos lluvioso desde su llegada y el viento indicaba claramente que el tiempo iba a cambiar favorablemente. Todo predisponía en favor del hechicero que tan sólo llegar ya cambiaba el tiempo.

Era un hombre alto, hercúleo, soberbio de estampa. Un hermoso ejemplar de raza negra que causaba admiración a cuantos le miraban y, además, respeto por sus artes. Su presencia se impuso a la multitud y hasta la reina viuda se sintió predispuesta hacia él.

De súbito, con gran asombro de todos, el brujo cogió de la mano a la soberana. Algunos soberanos se mostraron contrarios a aquella tan notable falta a las reglas palatinas que no permitían confianzas semejantes con la soberana aunque se fuese brujo y de fama. Pero la reina complacida indicó con un gesto que nadie se interpusiera a las acciones del hechicero. El brujo con la reina de la mano la llevó corriendo con él. Se dirigió prestamente al establecimiento de Alvez. Al llegar a la puerta le bastó con empujarla con un hombro para que se viniera abajo. Y entonces, obligó a la reina a que entrase con él en la factoría. ¿Qué iba a ocurrir?

Tratante, soldados, esclavos, cortesanos y mirones todos corrieron hacia allí con estupor. Sin embargo, al ver a la soberana que no protestaba, ninguno se atrevió a decir una palabra, limitándose sólo a esperar el desarrollo de los acontecimientos.

El mago hizo un ademán haciendo retroceder a la multitud de curiosos. Mostró las nubes con el gesto de la mano, hizo un gesto de amenaza y les atemorizó retrocediendo más y más dejando amplio espacio entre ellos y el hechicero. El mago comenzó a manotear encarado a las nubes.

Por el contrario, a todo lo que las acciones del mago podían hacer suponer que iba a mejorar el tiempo, sus actos y amenazas gesticulantes, no hicieron otra cosa que oscurecer más el espacio en el que se fueron amontonando rápidamente negros nubarrones.

Y de pronto, una nueva tormenta descargó sobre la ciudad.

Un formidable aguacero se desplomó como una cortina de espesas gotas de agua.

La multitud comenzó a murmurar contra la eficacia del mago que permitía que se mojaran todos masivamente. Levantaban los puños amenazantes y airados.

La señora Weldon y su hijo, atraídos por el alboroto de la multitud, salieron de su cabaña y el mago de súbito los indicó con un gesto de cólera tan expresivo que todos los indígenas comprendieron que eran ellos, los extranjeros, los culpables de las lluvias que fuera de tiempo y tan a despropósito arreciaban sobre la ciudad.

Entonces, el mago cogió al pequeñuelo y ante el estupor de la señora Weldon lo levantó en el aire con sus poderosos brazos mostrándole al cielo la inocente criatura.

La reina Moina comprendió y señaló a la señora Weldon con actitud amenazadora de rotunda acusación.

El mago después de haber dirigido una seña a la soberana, cogió a la señora Weldon y con el niño se los llevó consigo. Alvez que, con estupor, estaba pendiente de cuanto ocurría no se mostraba de acuerdo con todo ello, y todavía se alarmó más cuando vio que el mago se iba con los dos cautivos. Intentó oponerse a aquel rapto pero los indígenas hostilmente le cerraron amenazadoramente el paso.

Todos vieron como allí, en el fondo de una ancha cavidad natural, detrás de la crecida hierba de un matorral que casi ocultaba totalmente la orilla, estaba oculta una piragua. El mago empujó a la señora Weldon hacia ella, quitando las ramas que la escondía y metió a ella y al niño dentro de la piragua, al mismo tiempo que el mago gritaba, enérgicamente con tremendo vozarrón:

—¡Capitán, aquí tiene usted a la señora Weldon y su niño! ¡Pronto, en marcha, y que todas las nubes revienten sobre Kazonndé! ¡Valiente puñado de cretinos! ¡Les he tomado bien el pelo!

Capítulo XV

LA VIDA EN UN HILO

¡Había sido el valeroso y gigantesco Hércules quien bajo su disfraz había conseguido engañar a todo el pueblo de Kazonndé. ¡Era él quien había hablado desde debajo de la máscara que cubría su rostro! ¡Y era, también, a Dick Sand a quién se había dirigido llamándole capitán!

La señora Weldon creía estar soñando, pero no, no, estaba con su hijo dentro de la canoa y el primo Benedicto también se encontraba allí con Dingo, el perro leal.

La buena mujer al ver al joven grumete al que creía muerto repetía con incredulidad:

—¿Eres tú, Dick? ¿Tú? ¡Dios sea loado!

La señora Weldon le estrechó entre sus brazos emocionadamente, y Jack le prodigaba cariñosas palmadas y besos. La señora se volvió hacia Hércules todavía con lágrimas en los ojos exclamando:

—¡Oh, Hércules! ¡Qué bien simulaste tu papel! ¡Ni siquiera yo te reconocía!

—¡Vaya disfraz! —gritó Hércules puesto en pie y quitándose los dibujos que similaban tatuajes y las demás pinturas que le cubrían el pecho.

—Gracias, Hércules —dijo la señora Weldon—. Nos has salvado la vida.

—¡Oh, señora! Todavía no estamos a salvo... pero lo estaremos. El mérito no es todo mío. Ha sido gracias al señor Benedicto que vino a decirnos dónde estaban ustedes. De lo contrario, nada hubiese sido posible.

Hércules contó rápidamente todo lo ocurrido hasta entonces a él y a Dick Sand. La señora, después de oírle, preguntó:

—Lo que no me explico, Hércules es cómo pudo salvarse Dick.

—Señora, la fuerza del agua arrancó de cuajo el mismo poste de madera a que estaba atado. El poste que iba a servirle de tormento y muerte le sirvió de flotador mientras las aguas se lo llevaban río abajo. O a lo mejor fue el mismo Dingo quien le siguió nadando hasta que después pudo romperle con los dientes las ataduras que le sujetaban al poste de madera.

El perro, inteligentemente, como si comprendiera el lenguaje humano, soltó un alegre ladrido y comenzó a lamer las manos de Dick Sand que le acarició afectuosamente.

La ligera embarcación se deslizaba velozmente por las aguas. Veinte millas más abajo la embarcación se detuvo de pronto.

—¿Qué es lo que ha ocurrido? —preguntó la señora Weldon.

—Un dique —respondió Dick Sand—. Pero en esta ocasión es un dique natural.

—Pues hay que romperlo para poder seguir adelante, señor Dick.

—Sí, Hércules. Hay que seguir adelante como sea. Todavía no estamos a salvo, definitivamente. Habrá que romperlo a golpes de hacha.

—Pues manos a la obra cuanto antes mejor, capitán.

Pero en tanto, la piragua seguía deslizándose por la rápida corriente del río. La noche era cerrada.

De pronto en una de las orillas del río sonó un ruido sordo y prolongado. Un borbotar que se repetía. Todos se estremecieron inquietos. Era un ruido parecido a cien bombas que funcionaran ocultas en las sombras.

Pero no había peligro. Eran solamente varios centenares de gigantescos elefantes que se abrevaban. Todo el día habían estado ocupados comiendo leñosas raíces y acudían a calmar la sed. Las trompas se levantaban y abatían de nuevo mientras los paquidermos resoplaban.

Capítulo XVI

¡EL MAR! ¡POR FIN, EL MAR!

Durante varios días la ligera canoa les llevó por la corrionte del río. De vez en cuando se detenían en una de las orillas para procurarse el sustento y luego de haber comido reemprendían la marcha. Su único anhelo era llegar a la desembocadura con el mar.

Mientras la piragua se deslizaba velozmente, veían la vida salvaje de las riberas. Los negros que a su paso les chiliaban o les disparaban sus arcos. Bandadas de las más diversas aves que levantaban el vuelo desde las tupidas copas de los árboles.

Días y días de navegación en busca del mar perdido y anhelado.

Durante los días 15, 16, 17 y 18 de julio, en medio de una zona frondosa, la embarcación derivó por las plateadas aguas del río. Pero la noche del día 18 ocurrió un incidente que estuvo a punto de echar a rodar las últimas esperanzas cuando éstas iban por fin a convertirse en realidad.

—¡El ruido de las olas del mar! —gritó de pronto Hércules—. ¡El mar! ¡Por fin oímos el mar!

—¡No! —respondió reflexivamente Dick Sand rompiendo el encantamiento.

—¿Qué es entonces, señor Dick?

—No es el bramar del mar, Hércules. Vigilemos. Cuando llegue el día lo sabremos.

Pero de pronto cuando Hércules se dirigía a la popa, Dick gritó ordenativo:

—¡Pronto! ¡No hay tiempo que perder. ¡Es el ruido de unas cataratas! ¡Nos estamos acercando a ellas quizá demasiado! Esas nubes que se distinguen en el aire es agua pulverizada. ¡A la orilla, Hércules!

En efecto, una catarata cortaba el curso del río precipitando sus aguas desde una altura de más de cien pies, con irresistible e impresionante impetuosidad.

Una media milla más de navegar por la corriente sin buscar la orilla y la ligera embarcación, con todos sus ocupantes, hubiera sido precipitada al abismo pereciendo todos los componentes del grupo irremediablemente.

Capítulo XVII

LAS LETRAS "S. V."

Bien pronto, la piragua alcanzó la orilla izquierda del río. Mientras se deslizaba la embarcación junto a la ribera, Dingo comenzó a quejarse lastimeramente.

El pequeño Jack abrazándose al perro y acariciándole, dijo:

—¡Dingo está llorando, mamá! ¿Por qué será?

Pero Dingo, de pronto, inesperadamente, saltó de la piragua a la orilla y escapó corriendo y ladrando. Los demás le siguieron. Dick Sand armado con su fusil y Hércules provisto de su hacha de mano. No tardaron en darle alcance. El perro con el hocico pegado al suelo iba husmeándolo todo. Se advertía que el perro obraba impulsado por un oculto presentimiento.

Dick Sand advirtió a los demás:

—¡Cuidado! ¡No debemos separarnos! ¡Seguiremos al perro!

El perro levantaba la cabeza, y daba saltos invitando a que fueran tras él.

Con él, llegaron al pie de un sicomoro, en lo más espeso del bosque. Allí, en aquel punto, se levantaba una choza. El perro corrió ladrando con gemidos lastimeros. Se metió dentro de la choza.

Le siguieron. Dentro estaban diseminados por el suelo los huesos de un esqueleto humano.

—Un hombre que murió en esta choza —dijo la señora Weldon bajando la voz con respeto.

Y Dick Sand añadió alusivamente:

—Sí, es cierto. Como también no lo es menos que Dingo conocía a ese hombre. Debía ser su antiguo amo... ¡Miren ustedes...! ¡Aquello del tronco del árbol!

Vieron en el tronco visiblemente grabadas dos grandes letras encarnadas pero casi totalmente borradas pero que todavía podían leerse. El perro había colocado una de sus patas en el árbol y con su gesto parecía indicarles mostrándolas a sus compañeros. Dick Sand exclamó emocionado:

—¡"S" y "V"! Las dos letras que Dingo reconoció siempre entre todas las otras. Las mismas que lleva en su collar.

Dick se agachó y recogió del suelo una cajita de cobre. En el interior halló un pedazo de papel doblado en el que alguien había escrito la siguiente revelación:

"Asesinado y robado por mi guía que se llama Negoro. Día 3 de diciembre del año 1871. En este mismo lugar a 120 millas de la costa. ¡Dingo estaba conmigo!"

S. VERNON.

Al mismo tiempo que Dick Sand leía la reveladora esquela escrita como una auténtica acusación por la propia víctima, en el exterior sonaron unos terribles gritos revueltos con los ladridos de Dingo. No cabía la menor duda de que un hombre estaba luchando con el perro empeñados ambos en una lucha feroz.

Todos salieron apresuradamente de la choza. Vieron al perro arrojarse a la garganta de un hombre. Este cayó en tierra con los afilados colmillos del can clavados en su garganta.

Aquel hombre era Negoro.

Hércules, corriendo hacia él al reconocerle, chilló:

—¡Ah, maldito bribón! ¡Voy a darte tu merecido!

Pero cuando llegó junto al cuerpo de Negoro vio que éste había sido muerto por la formidable dentellada del perro al morderle en la garganta. El perro yacía junto a su víctima muerto a su vez por un terible mazazo dado por Negoro, antes de sufrir la dentellada. El perro entrecerró los ojos y quedó definitivamente inmóvil.

El mismo Dick se encargó de dar sepultura al perro y al viajero y abrió otra tumba para Negoro.

Después cambiaron impresiones respecto a lo que debían hacer. Más abajo seguía existiendo el peligro de la catarata.

—Iré yo solo en la piragua y franquearé con ella la cascada.

—Serás arastrado por ella, Dick —objetó la señora Weldon.

—No. Si veo algún peligro desembarcaré.

—Llévate el fusil.

—Ustedes sigan andando y no se inquieten por mí.

Dick Sand soltó la embarcación, mientras la señora Weldon y Hércules ocultos en un macizo le veían alejarse.

En pocos momentos llegó al centro de la corriente del río. Un cuarto de hora más tarde había logrado alcanzar la orilla opuesta.

Entonces asomó un indígena y extendió el brazo señalando a los otros, a Hércules y a la señora Weldon a quienes habían visto. Mientras el fusil de Dick Sand estuviera a distancia de alcanzarles con sus disparos, no se moverían, pero en cuanto se alejara con la embarcación cruzarían hacia la otra orilla para atrapar a los demás.

Dick Sand gritó:

—¡Huid! ¡Pronto! ¡Escapad!

El indígena se había subido a una piragua y con sus compañeros manejaba hábilmente el remo moviendo la piragua en sentido oblicuo para alcanzar la orilla opuesta.

Dick Sand movió el fusil y lo encaró al remero.

Disparó.

El remo saltó hecho pedazos por la bala. Los demás negros soltaron gritos de espanto. La embarcación comenzó a navegar a la deriva llevada por la fuerza de la corriente. Al cabo de unos minutos se precipitaban por la cascada. En vano se habían arrojado sus ocupantes al agua intentando ganar la orilla izquierda, pero fueron arrastrados por la corriente.

También la canoa de Dick Sand era arrastrada por el vigoroso curso. Dick comprendió que la caída por la cascada equivalía a una doble muerte por asfixia. La misma corriente del agua, en su vertiginosa caída iba a causarle la muerte. Pero cabía una sola posibilidad de salvación. La de que volcando la barca boca abajo y agarrado al banco de la misma quedara su cabeza dentro de la zona de aire que mediaba entre la superficie del agua y la cúpula de la embarcación, dejándole aire bastante para respirar durante la caída.

Dick obró con celeridad. Tumbó la embarcación y se agarró al banco, dejándose arrastrar por la corriente hacia la catarata. Se precipitó por ella, en la vorágine de su altura y caída entre el fragoroso estruendo.

Volvió a la superficie del río. La salvación definitiva estaba en el vigor de sus brazos. Comenzó a nadar y consiguió poco después alcanzar la orilla del río, donde se reunió con sus compañeros.

Los caníbales que habían intentado apresarles habían desaparecido.

Capítulo XVIII

EPILOGO

El día 20 de julio, la señora Weldon y sus compañeros encontraron una caravana que iba hacia Embona, situado en la desembocadura del Congo.

Era una caravana de honrados comerciantes. Dieron una hospitalaria acogida a los fugitivos de los martirios de Kazonndé.

Llegaron a Embona el 11 de agosto, donde los señores Motta Viega y Harrison les recibieron con una calurosa hospitalidad inolvidable. Un *steamer* iba a emprender el viaje hacia el itsmo de Panamá. Embarcaron en él y así fue como al fin llegaron con relativa facilidad a territorio americano. El telegrama enviado a James W. Weldon le anunció del inesperado regreso de su esposa e hijo a los que daba por perdidos, desde que se había enterado de la desaparición del *Pilgrim*.

Por último, el 25 de agosto llegaban a San Francisco de California. ¿Cuál fue el futuro de Dick Sand y de Hércules? Uno se convirtió en otro hijo de la familia Weldon y el segundo en su mejor amigo.

En cuanto al primo Benedicto, el mismo día de su llegada a California se encerró en su gabinete de trabajo y prosiguió sus investigaciones.

Al cumplir los dieciocho años, Dick Sand obtuvo su certificado de estudios hidrográficos y se encargó del mando de la casa de James W. Weldon.

A pesar de su juventud se vio rodeado de la estima y el respeto de todo el mundo, pero por su modestía y alegría habitual nadie hubiese sospechado que aquel muchacho había sido capaz de llevar a cabo acciones de extraordinario valor en tierras ignotas y que había soportado todas las miserias humanas a que la maldad de los otros le habían sometido.

Para completar el final de tantas aventuras, el día 15 de noviembre de 1877, cuatro negros llamaron a la puerta de su habitación: Tom, Bat, Acteón y Austín estaban ante él. Un sólo abrazo reunió a todos ellos con emoción.

Solo faltaba la vieja Nan y el perro Dingo, a los que jamás olvidarían.

Aquel día hubo gran fiesta en casa de Jamés W. Weldon y el mejor *toast*, vitoreado por todos con entusiasmo, fue el que dedicó la señora Weldon a Dick Sand, "un capitán de quince años".

INDICE

PRIMERA PARTE

SEGUNDA PARTE

Se terminó el día 20 de julio de
1976, en los Talleres de Edicio-
nes Sol, Sánchez Colín No. 20,
Col. Providencia, México, D. F.
Se imprimieron 2000 ejemplares
y sobrantes para reposición.